向經典致意——

故事取材自 清朝 李汝珍 著《鏡花緣》

鏡花公子，嫁到！

無患子◎著・柘榴◎繪

顧之萌

未來書城總編輯／李進文

在網路與動漫世代，體驗比想像力更重要。不體驗經典，就無法想像經典之美，遑論人間有多少創意是汲取自經典，而我們卻懵然不知。

經典的神奇不在於永恆，而在於即使被解體，只要你去親近它，賦予想像力與創意，就會重新組合，再創心中的經典。

「萌經典」的小說家們「師經典，而不失經典！」經典不是改編或改寫，更不是簡化成無聊的淺白文章，是透過創意與想像力而「萌」生動人的新故事。

書系取為「萌經典」，《說文解字》：「萌，艸芽也。」意即春日草木初生的芽。御宅族和動漫迷愛用「萌え（もえ／moe）」這個詞來形容極端喜好的事物。而我更喜歡有關「萌」的解釋是：因著人物或故事的某些特徵和喜愛，而「萌生起像燃燒般的共鳴感覺。」

「萌經典」小說的創作，就是要讓人讀後「萌生起像燃燒般的共鳴感覺！」打開全部的感官，將心靈種在字裡行間，要讓你一讀就吸到純氧。

萌也代表一種願力，讓善念、愛與分享，都長成天使的品質——

願每一個小小的希望
牽動另一個小小的希望
每一隻小小的蟲子

翻個身會啟動春天
每一次小小的付出
會悄悄改變世界
每一種閱讀的姿勢
都像你一樣另類而且經典
開卷
就會開心地撞見美

這世界，經典不斷地以有形或無形的方式，輸出養分給人類，讓快樂與純真得以前進，傳遞。我們將以謙遜、勇敢與創意的方式繼續回應經典，並向經典致意。

目次

作者自序

「經典」二字總是給人一種「仰之彌高，鑽之彌堅」的莫測高深感，彷彿非得長篇大論之乎者也，才能說出令人昏昏欲睡的大道理。然而在中國古典文學史上，《鏡花緣》不是和《西遊記》、《封神榜》一起被歸類為荒誕不經的神怪小說，就是和《儒林外史》一樣，被歸為嬉笑怒罵的諷刺小說。也就是說，《鏡花緣》從來就不是經史子集之類的「經典」，而是一本「可解得睡魔，也可令人噴飯」的小說故事，如今我們為何硬要把「經典」的頭銜，安置在這些有趣的小說頭上，進而束之高閣、敬而遠之呢？

近年來，奇幻小說的發展方興未艾，無論是本土創作，亦或是國外引進的翻譯著作，都十分受到讀者的歡迎，殊不知李汝珍在幾百年前的清朝寫下的《鏡花緣》，活脫脫就是一部以當時白話口語寫成，人物生動活潑，情節幽默搞笑的奇幻小說。書中前半以唐敖、小舅子林之洋和老舵手多九公乘船出海，尋訪海

外異國的經歷為主軸，途中總少不了插科打諢。就拿林之洋來說好了，他先是憑空創作了一本《少子》，比擬道家經典《老子》，號稱是太平盛世才有的經典，唬得私塾學生一愣一愣。然後又因引火燒鬚，露出俊美容貌，在女兒國鬧出一場倒男為女，入宮為妃的大笑話，多虧唐敖挖空心思救他出來。至於刀味核、清腸稻、躡空草、猓然、飛涎鳥等等仙草異獸，在李汝珍的生花妙筆下，更是毫不下於網路遊戲裡的靈丹怪物，就待聰明的讀者一探究竟。

記得小時候第一次讀《鏡花緣》，讀的就是林之洋流落女兒國的節選本，隨著幾位主角周遊海外，體驗大人國、兩面國、犬封國、無腸國各國的奇風異俗，固然令年紀小小的我心嚮往之，但印象最深刻的情節，卻是林之洋被眾宮女抓住，硬是被幾尺白綾纏斷趾骨裹小腳，堂堂男子漢忍不住痛哭失聲這一段。那時候我才知道，原來一雙彎彎翹翹、走路婀娜多姿的三寸金蓮，來得竟是如此痛苦不堪！

希望大家在閱讀一系列「萌經典」時，也別入寶山空手而回，從中得到樂趣之餘，若能學到一些典故、傳說，更是作者之幸啊！

無患子

緣起緣滅無定數

仙山渺渺，祥雲飄飄，巍峨險峻的崑崙山，就掩映在一片雲霧飄渺間。若有這麼一個人能爬上崎嶇的山路，到達王母所居的崑崙山頂，放眼望去，便能看見海外三處名山，號：蓬萊、方丈、瀛洲，傳說中的諸仙洞府就散落山間。若他能從崑崙山腳，乘上巨舟越過茫茫大海，便可到達異域諸國，見識女兒、君子、無腸、黑齒、青丘、深目以至軒轅等異於中原之風土民情。

且說在蓬萊山薄命岩上的紅顏洞中，住著一位總司天下名花的百花仙子。百花仙子身為群芳之主，與掌管凡人壽限的麻姑交情甚篤。一日落雪無事，麻姑念起芳香撲鼻的百花釀，便攜了自家釀的靈芝酒，尋個事由，來到紅顏洞中與百花仙子下棋，洞內兩仙連下五盤棋，洞外大雪亦一直連下不停，百花仙見酒喝得差不多了，便命仙童取出窖中花釀，與麻姑分享。

酒水煮得微微冒泡，芳香四溢，麻姑贏了百花仙三盤好棋，如今且得償所願，便笑道：「聽聞百花妳拜南極仙翁為師學棋，照我說，這幾手也稀鬆平常，看來那老傢伙亦與我一般，專來騙妳的酒喝，就不知妳送給祂幾罈做束脩[1]？」

南極仙翁與麻姑分掌人間男女壽限，交情自不在話下。百花仙聞言不以為忤，

替麻姑倒了杯酒，笑道：「若論高手，鄙師乃天界數一數二，我這不過入門，恐怕再過十幾年才能登堂入室。」

二仙說笑一陣，暖酒安枰[2]之際，麻姑突然轉笑為嘆道：「妳那老仇家『心月狐』，逃到海外也不只十幾年了吧？」

百花仙子聞言長嘆，臉上現出擔憂神色。話說距今約千年前，唐室太祖李淵、太宗李世民本是隋朝臣子，後來造反竄了煬帝江山，且父子兄弟骨肉相殘，殺戮過重。煬帝與各路敗將在地府控告唐家父子種種暴戾之事，冥官具奏，閻王遂令妖狐心月投胎，化身武后則天，擾亂唐室，幾乎殺盡唐室子孫，以彰報應不爽。

當年心月狐在凡間稱帝，酒後揮筆，催四季百花同時綻開，因此得罪百花和祂轄下眾花仙。事隔千年，心月狐不甘寂寞，私自下凡至海外諸異國遊蕩，因此天庭發

---

1 束脩：古人用十條乾肉紮成一束，作為初次拜見老師的禮物，後泛指送給老師的酬金。

2 安枰：此指棋枰。

出通緝令，命心月狐速速回歸本位。百花轄下也有幾位花仙因細故被貶，與心月狐尚有宿世之怨待解。

見百花仙沉吟不語，麻姑還待開口，卻見百花仙凝指掐算，秀眉微皺道：「仙姑此言，引得小仙心中一動，細細推算，隱約知道心月狐此番下凡，事涉崑崙、蓬萊及海內外諸異國，就不知前路尚有何劫難？」

麻姑隨之推算，亦沉吟道：「奇哉怪也，卦象天雷，無妄之妄[3]，虛中有實，實中有虛，乃水月鏡花，疑幻似真是也。」

「照仙姑推測，心月狐與小仙屬下幾個花仙的冤仇，竟是難解？」

麻姑修行較百花仙子高，只見祂再推算半晌，露出「天機不可洩漏」的笑容，道：「不過各安天命罷了，百花不必擔心。倒是說起這無妄之妄，讓我想起一個十分逗趣的凡人小子。」

百花仙心知麻姑話出必有因，便仔細聽祂續道：「這小子成天妄想修仙成仙，跑遍方圓百里的破落寺廟，既跪且拜，只求哪位仙君菩薩收他做童子，打雜也好、看守煉丹爐也罷，就不願待在這濁濁塵世之中。」

「這等癡人自古皆有，怎麼仙姑特別看重他呢？」百花仙子不解道。

「彼等癡人，大多貪慕長生不老，但一無仙骨、二無仙緣、三無行善積德，不過痴心妄想罷了，但我見這小子耳聰目明，身無仙骨，卻有仙緣，再仔細探訪，原來註生娘娘、幽州山神都曾關照過他。我想咱倆既不便插手人間事，不如乘隙讓他到海外異國轉轉，說不定能助花仙們一臂之力，免得心月狐坐大，竟成當年武周滔天之勢[4]。」

百花仙子搖搖頭，嘆道：「此事甚難，若他真有本事，助得眾花仙脫出難關，重登仙班，小仙願與月老商量，許他一位『意中人』為終身佳偶，人云『只羨鴛鴦不羨仙』，這輩子也不必他費心走訪各仙君了。」

麻姑聞言笑道：「如此甚好，若事難諧成，本仙姑亦願與南極仙翁商量，額外許他十年壽限，當作壓驚，也不枉他一番奔波勞苦。」

主意既定，二仙遂擊掌為誓，共推南極仙翁為中人，負責下凡點醒那身懷仙緣

---

3 天雷無妄乃易經六十四卦之一。

4 即《鏡花緣》書中提及武則天以「周」代「唐」稱帝的舊事。

的傻小子，並送他往凡人不能至的海外異國，解開心月狐與諸花仙的前世怨仇。

未知如何，且看下回分解。

第一回

八仙廟靈驗現仙翁
唐天佑夢遊入異國

清朝康熙年間，北京城郊。

春日午後，陽光稀稀疏疏的灑落，路旁楊樹高大，枝葉茂密，一棵棵聳立在田埂邊，守護嫩綠的禾苗。

半邊脫線的舊草鞋嘎嘰嘎嘰走在鄉間小路上，偶爾踢開幾顆擋路的石子，揚起些許沙塵，伴隨幾下自得其樂的笑聲，走著走著，不知不覺便走過小路，踩上附近一處低矮的山丘。

山路蜿蜒崎嶇，草鞋輕盈依舊，顯得毫不費力。山丘上有一處破落的八仙廟，乃是明代修建，平時人蹤罕至，草鞋的主人卻最喜歡帶著幾個窩頭到廟裡躲懶睡覺，順便祈求自己哪天一睡不醒，不知不覺被哪個看得上他的神仙帶走，做個小小仙童，從此無憂無慮，再不必聽父母兄長叨念囉唆。

此人姓唐，排行第四，家人都叫他「落兒」，私塾先生給他取了個庠名[1]「天佑」。無他，取其從小洪福齊天，得上天庇佑罷了。

話說從頭，這唐天佑出身貧寒，上有三個哥哥，一個個長他十歲八歲，其母懷上

他的時候，心想一家三個孩兒已經吃不飽，何況四個？便狠心抓了幾服落胎藥，沒想到落來落去，三個月的孩子依然不動如山。其母沒法，索性時時扛水耕地，意圖動了胎氣，讓他自個兒掉下來，不料熬到七個月，孩子呱呱墜地，雖是早產，哭聲卻無比宏亮，一家人終於心軟，拿米湯豆奶養大，慢慢長得精瘦結實，也能幫著牧牛餵雞了。

到他五歲那年，北方大旱，南方三藩亂起[2]，可說天災人禍不斷。田地長不出一根草，一家六口無以為繼，只得跋山涉水，挖山菜、摘野果裹腹，唐天佑更像隻放山猴子似的四處探險，終有一次在山裡迷路。眼看天色漸暗，他只得帶著幾個摘來的野棗，找個山洞過夜，沒想到山洞裡也躲著個餓得兩眼發黑的孩子，氣息奄奄，與他年歲約莫相當，言語支吾，連家裡住哪兒都說不出，看來嚇得不輕。

1 庠名：「庠」為古代的鄉學，「庠名」即讀書考試所用的名字，多為長輩老師所改。

2 清朝入主初期，採用以漢制漢的策略，封平西、靖南、平南三藩王於南方，久而坐大。康熙十二年，吳三桂、尚可喜、耿精忠等三王不服削藩，遂起兵興亂，爆發三藩之亂。

唐天佑便把囊裡的水分他喝了，幾個棗子也分他吃了，隔天，唐天佑帶他下山回家。父母見他食物沒找著，卻找了個連話都說不清楚的孩子回來，險險氣得昏過去。但看這孩子穿的衣服雖髒，卻是綾羅綢緞，便將他暫時安置下來，心想說不定是大戶人家走失孩子。

十天半月過去，果然有個富戶管家來附近尋訪，那來訪管家看到少爺，忙不迭對唐家千恩萬謝。原來周家老爺久在南京經營藥材鋪，因四川、雲南等藥材產地兵禍連綿，貨源艱難，無奈收了生意，舉家前往北京投靠親戚，不料北方旱災，遇上飢民組成的強盜搶劫，連小少爺都給惡徒綁架勒索。

一家人匆忙在北京落腳，派人四處找尋少爺下落。管家訪著唐家，一問之下，才知道小少爺趁一班強盜內訌逃走，找了個小山洞窩著不敢出去，深怕壞人又來抓他，幾天來又餓又冷，若非唐天佑及時發現，恐怕就要凍死在山裡。

管家先是給了一筆謝銀，當作小少爺這些天來的衣食花費，周家後來又遣人送來糧食布帛答謝，可說是因禍得福。唐父唐母歡喜之餘，心想與其坐吃山空，不如乘機為幾個兒子在城裡謀個差事，要不家中幾分薄田，遲早愈分愈薄，不敷生計。

正逢月前搶劫一事，周家折損幾個家丁，管家見他們一家人誠懇老實，樂得做個順水人情，打了十年生契[3]，將唐天佑三個哥哥都帶回周家幹活，到現在也都是獨當一面的伙計長工了。

自從三個哥哥在周家工作，唐天佑一家的景況便好起來，一個月總有一兩餐肉吃。街坊鄰居都說他們家這小兒子有福，唐父唐母漸以為然，辛苦攢下些銀錢供他到私塾讀書，好歹識幾個字，若能考上秀才，也算光宗耀祖。

但唐天佑向來是野慣的孩子，四書五經不好好讀，卻最愛聽鄉野說書人說書，尤其像《封神榜》、《西遊記》等等神仙鬼怪的故事，更是他的最愛，三年五載的聽著，便想學那些書中人物，逕自求仙去了。他手腳伶俐，又懂得說話討主家開心，即使憋屈在大宅院裡鞠躬哈腰、打雜伺候也如魚得水，於是逢年過節，進城到周家打十天半月短工，拿了工錢做路費，便去走訪各地佛寺神廟道觀，年邁父母管不動他，看他不是做什麼偷搶拐騙的壞事，就任由他去了。

3 生契：與賣身契（死契）相對，則若干年後可回復自由身，非終身為奴。

當今康熙爺親政，天下太平，過完年，他唐天佑正正二八一十六歲，大哥與周家的生契剛滿，便被提拔為藥材鋪的大伙計，二嫂為二哥生了個白胖小子，三哥剛成親不久，全家都忙得樂呵呵的，無暇管他這閒人，他便樂得四處遊蕩，今早搭便車出城，午後下車徒步一個時辰，就遊到這山間的八仙廟裡。

推開廟門，他先將摘來的幾枝桃花放在藍采和早已破敗的花籃裡，提起掃帚掃了地，然後繞到院裡打桶井水洗手，回到神案前，朝八仙及福祿壽等星翁星君各拜了三拜，才一屁股坐在門檻上吃窩頭。這回他已是第三次來到這裡，只因附近有處風景壯麗的峽谷，等會吃飽小歇後，正好過去欣賞一番。

「奇怪，上兩次只覺得這仙翁滿臉塵灰，怎麼今天看來神采奕奕，額上盡是油光，還像對著俺笑？難不成今日俺仙緣已至？」

唐天佑一邊吃著窩頭，一邊打量八仙廟裡的諸神像，心底不忘盤算出遊計畫。兩個窩頭落肚，忽然福至心靈，抬頭一看，便見一尊手持龍頭杖的南極仙翁正盯著他，明明無風，下巴幾縷稀疏長鬚卻抖啊抖的，像在忍笑，看得他渾身雞皮疙瘩，隨手拋下窩頭，扯來破蒲團跪倒在地，連連叩拜。

「好心的壽星公大人，您可是在這荒山野嶺缺人伺候？小子尚未婚娶，家中高堂有三位兄長服侍，說走便能揮揮衣袖毫無牽掛的走，求您考慮考慮我吧？」

唐天佑像對著招短工的管家自我介紹道，南極仙翁的神像當然沒有回答他，鬍鬚仍在半空飄啊飄的。他轉念一想，據他聽過看過的傳奇小說演義，神仙可不會大白天現身教誨凡人，便接著自問自答。

「還是您想托夢？要不小子這就在您跟前睡一覺？好方便您行事？」

唐天佑自認貼心的道，突然搔了搔泛青的月亮頭，自覺這話在寺廟出口似乎有些古怪，但仙緣近在咫尺，豈能輕易放過？於是暗道得罪，隨便撿了幾束乾草堆在神桌前，翻身便睡，奈何心裡緊張又興奮，一時怎麼睡得著？還是勉強閉上眼睛，默數周家藥材鋪那一整排百子櫃上的藥名，漸漸恍惚。

夢中，他不知怎的出了廟門，獨自一人走啊走的，沒半晌便走到八仙廟附近的峽谷，感嘆之際，忽見一朵祥雲從遠方高山飄然降落，悠悠然來到峽谷之間。他再揉揉眼睛，發現雲上仙人就是那八仙廟裡南極仙翁的模樣，不由得大喜跪地迎接，一邊喊道：「小子叩見仙翁！」

仙翁但笑不語，高過身長的龍頭拐杖憑空輕點，將唐天佑雙膝一提，便自動站了起來。他倒乖覺，立馬擺出垂手恭迎的架勢，等南極仙翁駕臨，方偷偷抬頭打量這位仙翁的面容。

只見那仙翁鶴髮童顏，面目慈祥，耳垂既肥且厚，定是長壽之相，腳下祥雲隱約泛著七彩流光，更是修行高妙之徵，讓唐天佑心中僅存的一點疑惑消失無蹤。

「你這小子，難怪麻姑讚你伶俐，還知道席地午睡，待吾入夢。」

仙翁的聲音宛如其人，老而彌堅，緩而有力。唐天佑聞言十分歡喜，問道：「這個自然，仙翁是來接我入仙山的嗎？」

南極仙翁笑眯了眼，不答反問道：「小子有何修為，同吾往仙山求仙道？」

唐天佑一愣，隨即恭敬答道：「小子平生無欲無求，但喜無拘無束，只望能在仙翁跟前打雜，遠離俗世，一意清修，自然就可入仙道了。」

南極仙翁搖搖頭，道：「此事談何容易？要求仙者，當先修德行。要成地仙，當立三百善，要成天仙，當立一千三百善。小子你一無根基，二無積德，忽要求仙，豈非緣木求魚？」

唐天佑愈聽愈是喪氣，明知仙翁句句屬實，無從反駁，便氣餒道：「多謝仙翁教誨，仙翁此番現身，難道就是教訓小子莫要痴心妄想，好好讀書上進，要不然尋份正經差事，才是正途？」

這些都是父母兄長經常訓誡他的話，他不是沒聽在耳裡，只覺得這世界不缺他這麼一個無用閒人，讀書中舉當官更談何容易？還不如一輩子逍遙過日子。

「話也不是這麼說。」南極仙翁反倒安慰起他，「你身懷仙緣，否則也不會屢屢化險為夷，因禍得福。照吾說，你年紀尚小，四海之大，豈無際遇？說不定遇上一位好姑娘，結婚生子，平淡一生，未必不是福氣。」

唐天佑嘆口氣坐在大石上，手指戳著南極仙翁的祥雲，只覺軟綿綿的一團，有如棉花糖般。南極仙翁慈愛的摸摸他的頭，續問道：「你不是喜歡旅行嗎？想不想到海外仙山異國看看，長長見識？順便幫吾辦一件事？」

唐天佑精神一振，馬上起立回道：「仙翁吩咐，小子無有不從！」

「輕諾必寡信，你答應得這麼容易，就不怕自己做不到？」

唐天佑聞言眼珠一轉，故作可憐兮兮道：「若俺不幸任務失敗，魂斷異國，仙

翁是否瞧俺可憐，把俺的魂魄收去貴洞府做打雜童子？」
南極仙翁呵呵一笑，道：「你也不必妄自菲薄，人間俗事，神仙難以插手，小子機伶，這任務最適合你不過。吾欲你在海外找一個人……嗯，應該說是附身在人身上的『狐』，提醒牠回天庭請罪，否則天庭派出兵將追捕，受罪難免。若任務完成，吾自有獎賞，若事難成就，吾當把你送歸凡間，不過會抹滅你腦中關於海外異國的記憶，讓你好好當個凡人便罷。」
南極仙翁諄諄教誨，唐天佑當然不希望自己如此不濟，於是進一步追問任務的詳細內容，道：「仙翁說的狐？可是法力高強的九尾狐仙？」
「不錯，牠是修行數千年的九尾天狐，名喚心月，毛作金色，役於日月宮，有洞察陰陽的能力。」
唐天佑吞口唾沫，似是有些害怕，吞吞吐吐道：「既然那狐仙法力高強，小子沒啥本事，怎得輕易找著牠，讓牠聽我的話回天庭？」
「這嘛……」南極仙翁敲敲龍頭杖作思考狀，「雖是附身，有些狐狸習慣是改不掉的，像是怕狗、喜吃雞肉和生雞蛋、體有臊味等，憑你仙緣，自然而然該能順利

找著。若你懷疑那人實為狐，可對牠說：『汝師將至，宜歸去來兮！』牠若曉得厲害，必然拜謝而去，絕不會為難你。」

唐天佑默唸幾次「歸去來兮」，仍然有些不放心，問道：「若牠不但不聽，還要殺俺滅口怎麼辦？」

南極仙翁想了想，也覺有點危險，便道：「凡狐成仙，必修有魅珠，其色或紅或青，附身於人時，定將其佩於腰間胸前，以得天下所愛。我這裡有張天雷符，牠若不聽勸告，你便取出天雷符貼在牠額上，再乘隙奪其魅珠，狐仙失了魅珠，法力便去大半，你再好言相勸，牠該懂得進退。」

唐天佑接過符咒，只見黃色的符紙上寫滿「敕令」等等一堆不明所以的文字，當下小心收好。

南極仙翁見狀，點頭道：「你我既然有緣，吾便再許你一法寶防身，免得你在異國沒有一技之長。」右手當下往寬袍大袖中掏摸，摸出三個不起眼的木盒，一一放在大石之上，著唐天佑挑選。

「俺能先看看再選嗎？」

唐天佑眨眨眼，等南極仙翁點頭允許，小心翼翼的伸手打開第一個木盒，便見一顆三寸寬五寸長的肥白大米，正正躺在盒中。

「喔，這可是『清腸稻』呢！」

南極仙翁湊過頭與他同觀仔細，似乎對自己拿出什麼法寶也不甚了了。唐天佑心想，這樣一顆碩大稻米，要是煮成了飯，豈不有一尺多長？

「這清腸稻乃是東漢宣帝年間，由西域背陰國進獻的寶物，每食一粒，滿口清香，精神陡長，終年不飢，最適合你們這些遊子，出外行走，連乾糧也省下了，想去哪兒就去哪兒！」

南極仙翁讚嘆道，唐天佑也是心癢癢的，深吸口氣，又伸手打開第二個盒子，只見一株青青小草躺在盒中，其葉如松柏翠綠，仔細一看，葉上還生著一種子，大小如芥。唐天佑看看南極仙翁，等祂解釋，南極仙翁卻道：「你把那種子摘下，放在掌心，吹一口氣看看。」

唐天佑依言而行，那種子被吹氣一口，頓時從子中生出一枝青草，也如松葉，再吹一口，又長一枝，連吹三口，竟就長出三段草來。

「好了好了，別吹了，再吹就長不出了。」

南極仙翁制止道，唐天佑連忙將草帶子放回盒中，只聽仙翁解釋道：「此乃『躡空草』，又名『掌中芥』，人若吃了，能獨立空中，所以叫做『躡空草』。」

「獨立空中？是不是吃了以後，房頂漏水就不必架梯子，隨便一跳便能跳上屋頂補漏？」

「尋常跳三五尺不成問題，站在半空也不成問題，但若要跳得高，就得借力使力才成。」

一問一答之間，唐天佑又迫不及待打開第三個盒子，但見幾個不起眼的大棗，唐天佑知道其中必有玄妙，果然聽南極仙翁接著解釋道：「此果名叫『刀味核』，其特異之處，在於果味隨刀而變，以竹刀剖而甘、鐵刀剖則苦、木刀剖則酸，若有仙骨的人吃了，可成地仙，平常人吃了，也可延年益壽。」

眼看寶物一樣比一樣殊異，唐天佑有些不知如何抉擇。南極仙翁像是知道他的心事，逕自一一把盒蓋闔上，隨手調亂三個木盒的次序，道：「好了，你這就隨便選一個吧！」

唐天佑看了半晌，猶豫不決，反正選哪一個來吃都有益無害，便隨手選了最靠近自己的盒子打開，果然是他最感興趣的「躡空草」。

「這草被你吹了幾口氣，想是只有你能吃了。」

南極仙翁笑道，唐天佑就在祂鼓勵的眼光下囫圇把草嚼了吞了，行走幾步，果然就和仙翁說的一般身輕如燕，隨便一跳，便有四五尺高。仙翁指點幾句身法秘訣，唐天佑依言而行，竟如大鵬展翅般旋了上去，轉眼離地數丈，兩腳踩空，猶如腳踏實地，動也不動。

「很好很好，這樣即使心月狐欲對你不利，你也有本事逃命了。」南極仙翁捻鬚笑道，唐天佑七手八腳借岩壁之力躍下，正想朝仙翁致謝，南極仙翁卻冷不防伸出龍頭杖，一杖把他往峽谷懸崖推，唐天佑腳步踉蹌，往後一仰，失足滑下深谷，耳邊只聞仙翁的聲音道。

「謹記『陽非陽，陰非陰，乾坤顛倒亂世間』，且讓吾送你一程，從此直通海外異國展開旅程吧！」

未知唐天佑生死如何，下回分解。

第二回

釐之僕無腸饗盛宴
徐允恭異鄉逢異客

唐天佑哪知道前一秒還笑瞇瞇的南極仙翁會「驟下毒手」，一杖推他入萬丈深淵，且他下墜的速度過快，但覺身側咻咻勁風掠過，腦袋一片空白，別說躡空，腳下連一處借力之處也找不著，只得閉上眼睛，聽憑身體穿過陣陣雲霧。

也不知過了多久，唐天佑覺得身下似乎被什麼東西托了一托，下墜之速減緩，再睜開眼睛，四處景觀已然轉變，青山常在，綠水常流，與他慣見的北方蕭瑟景色不同，再仔細一看，原來自己正往一處花園墜去，心念電轉，正想使出仙翁教導的身法時，身體已經撞穿某處茅草房頂，掉進裡面。

「閃開啊！閃開啊！」

唐天佑掉落之際，不忘大聲呼叫。被他撞破的茅草房，裡頭原來還有不少人，一個個或蹲或跪，圍坐一處大池旁，看似撈著什麼物事，放入口中咀嚼，幾人耳邊才聞得叫嚷，但聞水聲嘩啦，唐天佑正好撞破屋頂掉進池裡，濺起好大一陣臭烘烘的水花。

「哇！有人從天而降搶飯吃啦！」

民以食為天，但聞有人搶飯吃，可說是連路邊乞丐也發火。於是池邊一個個人都站了起來，紛紛撩起袖子要打。唐天佑不懂游水，在池裡掙扎半晌，好不容易攀上池邊，

一身泥黃臭水，肩上還掛了一條軟綿綿滑溜溜黑漆漆的玩意兒，沾著幾絲黏液菜渣。

「誰搶飯吃啦！臭得要命，這裡不是茅房糞坑嗎？」

唐天佑滿口晦氣，一手撥開肩上玩意兒，嘴裡呸出幾團粉條狀物事。不吐還好，這一吐，十幾個人立即嘩啦啦湧上來，七手八腳搶奪。

「老爺昨晚宴客的海參！」

「喔！還有杏汁燉燕窩，一定是夫人的早餐，養顏美容哪！」

某人拿走他肩上的滑溜玩意兒，美滋滋的放入口中，隔壁馬上有人湊過頭來，一口把下半截咬斷，同樣吃得津津有味，另一邊則來了個小丫鬟，撿起他呸出來的粉條子往嘴裡塞，才不過嚼了幾口，幾人便提著褲頭走到池子的另一邊，分男女各自隔牆出恭大解去了。

唐天佑看得目瞪口呆，話都忘了該怎麼說。其他人見他一身短打，前額剃光，拖著一條油亮長辮，顯然不是本地人，便好奇問道：「看你不像本地人，是不知道咱們這裡吃飯的習俗吧？」

唐天佑呆愣半晌，方才回神，清了清喉嚨道：「俺、俺是越過蓬萊仙山，來到

這裡的天朝人，你、你們這裡……都、都在茅坑裡隨吃隨拉的嗎？」

幾人正想回答，外頭卻來了一個中年男子，開口罵道：「吃飯便吃，怎麼吵吵鬧鬧，把屋頂都掀了？」

這群圍坐在茅廁池邊吃飯的奴僕，一見這管家般的人物，嚇得連在大解的都起立行禮，其中一個道：「剛剛奴婢正圍坐吃飯，沒想到突來一人掀穿屋頂，自稱是天朝上國之人。」

一聽他們真是在茅坑「圍池吃飯」，唐天佑不由得反胃作嘔，朝著池中便一陣亂吐，幾個好事的還在一邊叫嚷。

「上國人哇酸水啦！」

「看他除了燕子口水，還哇些啥給咱吃？」

「貴人且慢哇，待咱拿個夜壺來盛！」

管家畢竟是見過世面之輩，當下阻止眾人起鬨，命個丫鬟過去幫唐天佑拍背順氣，接著拱手道：「盡是一群蠢奴，怠慢天朝貴客，還請見諒，貴客請跟鄙人往這兒走，咱老爺正在前廳宴客，鄙人待會便上報老爺貴客蒞臨。」

原來「天朝上國」來的人還有這等優待？唐天佑一時管不得許多，三兩步跟著管家離開，現在他只想趕快換下這身沾滿屎水的臭衣裳，把身上的海參燕窩渣洗乾淨，弄清楚這兒到底是什麼鬼地方。

那管家自謂主家姓公孫，為國王貴戚，生平最是好客，目前正招待幾位從大人國來的行商。管家待客十分周到，一邊替唐天佑準備熱水和乾淨衣裳替換，一邊替他解惑。據管家所言，此地名喚「無腸國」，顧名思義，無腸國人均是腹內無腸，所食之物隨吃隨拉。因此人們未曾吃飯，就要先找大解之處，也因此食物未曾消化殆盡，便即排出體外。

而無腸國富貴之家，往往主家先吃過食物一遍，排出之後，奴僕再將未曾消化完畢的食物撿拾吞吃，以免浪費。公孫家尚且兩次輪迴便罷，若有吝嗇至極者，還有反覆三四次，直到食物已然腐臭不堪為止，其行徑可謂令人髮指。

唐天佑初來乍到，先是撞得渾身瘀青，好不容易定下心，聽了管家一輪在地「食經」，轉瞬滿腹酸水翻湧，又不好意思在人家面前表現出來。幸好管家懂得他的心情，拍拍他肩膀，便命人送上保證是「第一手」的清粥小菜，帶走唐天佑換下的髒

衣服，著他先休息片刻，晚上再引薦他與公孫老爺見面。

「沒想到他們人模人樣，居然個個肚裡都缺了腸子？真是知人知面不知腸。」

唐天佑如釋重負的倒在床上，暫時沒胃口吃粥。胡亂叨念一會，又開始揣摩若公孫老爺召見，得怎麼應付才妥當。話說他自小走慣周家這等大戶，言行舉止總不會失禮，逢迎拍馬的本領也略懂一些，心想一旦人家問起來由，便說是蓬萊世外高人命他這徒弟前來海外尋找某失落寶物，具體什麼保密不提。若人家不信，就表演幾招躡空術，說不定哄得公孫老爺十兩八兩路費，這樣旅途都不必愁了。

盤算既定，唐天佑便安心睡下，朦朧間夢到自己正據案大嚼，盤裡都是鮑參翅肚等「一手」好菜，口水浸濕了半邊枕頭。忽聞敲門聲響，原來是公孫老爺派人請他赴宴。

無腸國或許仍未得知「天朝上國」改朝換代之事，給他穿的仍是一套明朝樣式的圓領大袖長袍，他好不容易套在身上，七手八腳扣好長袍腰帶，在僕人的帶領下來到飯廳，便見方面大耳的公孫老爺安坐於一白玉椅，熱情的招待眾人享用一桌子的山珍海味，還請出家中首席犬封國狗頭廚師為大家講解諸味珍饈的烹飪過程。而列席者除他之外，還有管家中午提到的那位「大人國」行商和他的隨從。

唐天佑滿眼打量那位大人國行商，那行商自稱姓亳鳌的「鳌」，名「之僕」，人稱「鳌大人」，身高較他國人略高二三尺，唐天佑並不算矮，頭頂也只到他腋下處。最特別的是，大人國之人行動時，足下有雲托住，隨腳步轉動，一經站定，雲即不動。雖不及南極仙翁乘雲駕霧的本領，離地亦有半尺，看得公孫老爺與唐天佑皆十分欣羨。

至於鳌之僕的隨從姓「徐」，名「允恭」，身材高壯，不苟言笑，年紀不過四十，然腳下無雲，該非大人國之人，公孫老爺顯然不甚重視他。而就如唐天佑所設想的一般，公孫老爺和鳌之僕不住輪流問他這「天朝上國嘉賓」的身家來歷，顯得十分好奇，幸虧唐天佑早有準備，對答如流，不忘表演一千零一招「躡空術」：半空站定吃雞腿，看得兩人瞠目結舌，疑慮盡消。

唐天佑吃得腦滿腸肥的出了飯廳，打了好幾個飽嗝。管家送他到花園，他說想走幾步路消食再回房，管家任由他去了。正在花園假山遊覽時，忽見池邊樹下一人負手沉思，雖背對著他，他卻認得是鳌之僕那位隨從的身影，於是招呼道：

「徐大哥！」

那人聞聲回頭，果然便是徐允恭。於是唐天佑高高興興的走過去，熱情問道：「徐大哥可是像俺一樣吃得太飽，來花園消食納涼的嗎？」

「幾日沒活動筋骨，本想練拳，但怕夜半擾人，便在此站一會。」

徐允恭沉聲道，語不稀奇，唐大佑卻聽得入神，半晌突然冒出一句道：「徐大哥是南京人吧？」

徐允恭一愣，未及回答，唐天佑便笑著解釋：「俺是北京大興人，常去打工的主家是從南京來的，剛才便覺你的口音有點熟悉。」接著說了幾句南京土話，都是周家大奶奶常拿來罵下人的，逗得徐允恭忍不住笑了。

「這也算『他鄉遇故知』吧！」

徐允恭不禁嘆道，拍拍他肩，話中多了幾分親切，更有幾分滄桑，「自從我從中土流落至此，轉眼已經十五六年了……」

十五六年？那豈不是在他出生的時候，徐允恭便流落到這裡了？唐天佑心想，但見他心事重重，不好深問，便道：「俺見那公孫老爺與鳌先生，倒不像知道你也是『天朝上國』人？」

「天朝上國？」徐允恭反覆沉吟，不甚同意的苦笑道：「不瞞你說，我生在南京，乃大明中山王徐達之後。後人不才，也曾跟隨永曆桂王輾轉流離雲貴兩廣，無奈兵敗不敵，跳崖自盡。不知為何，醒來發現自己身在海外異國，心想上天留我一命，雖然回不得故國，亦必有深意，然而十幾年來，不過馬齒徒長而已。」

永曆即是前朝南明政權，曾是清朝的眼中釘，南明覆滅後，由三藩鎮守雲貴兩廣，如今也沒一個有好下場。唐天佑便把他所知道的三藩之亂的經過盡數告知徐允恭，聽得徐允恭唏噓不已，直道報應不爽。

「我當年初來乍到，不如你在『無腸國』般幸運，而是去了重文輕武的『淑士國』，而且染了時疫，臥病睡在義莊[1]裡三個多月，好不容易好起來，走投無路，只得投軍。後被駙馬欽點，留在府中為校尉。駙馬掌淑士國軍權，個性剛暴多疑，怕我是外國奸細，時時提防。我忍不得如此猜忌，遂暗夜掛印離去，不料被駙馬知悉，派人追趕，好不容易逃出國境，改以字行。後來到了『大人國』，憑藉武藝，做了商隊護

1 義莊：古時停放無人認領的屍體，或是因傳染病而死的人之處。

衛，算來差不多五年時間。」

雖說初來便掉進糞坑，算不上什麼好運，但比起徐允恭來只是小巫見大巫，唐天佑不禁心想。徐允恭原名「承志」，是他父親希望兒子承繼反清復明志業之意，也難怪他不苟同這清朝「上國」之說。

兩人並肩繞著湖邊小路而行，唐天佑聽徐允恭娓娓道來他的經歷，只覺得他一生坎坷。畢竟唐天佑出身貧寒，但父母雙全，兄友弟恭，從未遭遇流離失所之苦，一時不知如何安慰他，只得插科打諢，把自己這幾年尋仙的趣聞糗事一一道來，沖淡凝重氣氛。

「俺也不瞞徐大哥，俺要找的不是什麼稀世珍寶，而是一隻顛倒眾生的狐仙，仙翁著我叫牠回去向牠師父請罪，別把事情弄大，讓天兵天將前來捉拿。但仙翁沒給什麼線索，俺也不知找不找得著，說不定一找便像大哥一般十五六年過去了。」

徐允恭比唐天佑最長的大哥還大，受他這聲大哥也不為愧，當下正色道：「愚兄以為，你雖有『躡空術』防身，獨自一人行走各國依然危險，不如待愚兄與鼇大人商量，是否可以帶你同行，一來彼此有個照應，二來鼇大人行走各國買賣，認識的人

多，亦有助你找那狐仙。」

徐允恭的話合情合理，唐天佑想起適才那位鳌大人，自稱讀過幾年四書五經，言必稱善，似乎不是難相處的人，只不過說話略顯浮誇，總有意無意和公孫老爺炫耀自己家財萬貫，生意遍布海外十多國，是大人國的第三富商。難得自己與徐允恭投緣，這異國之旅有他和鳌之僕為依靠，想來會順暢許多，不至於像今日在無腸國出醜，於是馬上答應道：「俺從前給主家做小廝習慣了，不論徐大哥、鳌大人有何差遣，俺無不聽命。」

「如此甚好，你大可不必以小廝自居，鳌大人樂善好施，一向對奇人異士十分禮遇，待愚兄明天一早前去請示，或許後天就能動身。」

徐允恭儼然長兄口吻道，唐天佑做了十幾年小廝小弟，便順順當當笑應了，轉瞬問道：「對了，無腸國人不是馬上吃馬上拉嗎？怎麼俺看剛才那位公孫老爺又吃又喝的，卻是端坐不動？」

徐允恭聞言失笑，道：「你有所不知，無腸國富人之家均有此等特製座位，座有一孔連管直通茅坑，只要下穿開襠褲，外罩長袍，一坐上去，臀部對準座孔，便神

不知鬼不覺，吃吃喝喝都不成問題。」

唐天佑聽得咋舌，才知尊臀之下，竟有這等玄機。徐允恭難得談興甚好，一連對他說了不少海外異國趣聞，例如大人國足下之雲色乃從心生，五顏六色，其形不一，當中以五彩為貴，黃色次之，白雲居中，若滿腔奸詐狡獪，足下黑雲自現。而國人均以黑雲為恥，稍覺足下之雲呈灰邊，便踴躍爭行善事，因此鄰邦均以「大人國」呼之。遠方人不知其詳，以為大人國之名是取其身材比常人高大，原來那國民身長數丈的乃是「長人國」。

而與大人國相鄰的，則是以民風純樸、好讓不爭聞名的「君子國」，另外還有人來人往俱搖擺不休的「勞民國」、耳垂至腰的「大耳國」、人身狗頭的「犬封國」、雙手長眼的「深目國」、通身如墨的「黑齒國」、一個頭有兩張臉的「兩面國」、長著鳥喙背生雙翼的「翼民國」，以及女子穿靴帽主外事、男子穿衣裙裏腳主內事的「女兒國」等等。

「哇！徐大哥當真見多識廣，小子佩服！」唐天佑連連抱拳讚道，「照俺看，鼇先生的祖國大人國，天氣定十分清淨，若像北京終日沙塵滾滾，腳下白雲不必多做

壞事，飄一日就染髒成黑雲了。」

見唐天佑不住湊趣，顯是要逗他開心，徐允恭便微笑答道：「海外異國風俗不可勝數，愚兄初來，也與你一般懵懂。將來咱們或走過這些地方，但見奇風異俗，避免大驚小怪犯了人家忌諱，也就是了。」

唐天佑點頭表示明白，雙手舞了舞寬大衣袖，說道：「俺們自從江山換了主，就留頭不留髮、留髮不留頭，趁來到這裡，過過留長髮的癮，穿穿寬袍大袖，也覺瀟灑似神仙。」

徐允恭中指微屈，賞了個爆栗在他青刺刺的前額上，道：「你累了一天，不如早點回房歇息，明天等我的好消息。」然後兩人便分頭去了。

未知如何，下回分曉。

第三回

大人國行商啟程
兩面國強盜攔路

話說鼇之僕約莫三十年紀，自詡有德儒商，正所謂「君子愛財，取之有道」，家中三代經營絲綢珠寶生意，到了他手上，更是發揚光大，日進斗金，當然也不忘辦學施粥做好事，以養聲望。

奈何一失足成千古恨，自從月前貪小便宜，以賤價收了一批別人的倒店貨，那人拿了錢，竟去賭得精光，一家老小無以為繼，齊齊跳河自殺。這筆爛帳不知怎的被算到鼇之僕身上，讓他足下白雲生出一股似黑非黑，類如灰色，人稱「晦氣色」的惡雲。初時還不甚覺察，隨著他將貨物變賣，漸漸盤旋轉黑，想必是老天爺說他賺了黑心錢的緣故。

鼇之僕好不懊惱，不得已掩耳盜鈴，暗暗剪了段紅綾將黑雲部分裹住。但這把戲騙得了外國人，可騙不了自己人，過幾天若出門行商，為識者揭穿，定被訕笑，或當他是奸商不與他做生意，因此憂愁不已，正自顧自踩著紅綾裹著的雲，在房裡飄來移去，不知如何是好。

好在這雲色隨心變，只要痛改前非，一心向善，雲的顏色也就隨心變換。恰逢此時徐允恭前來會報，說蓬萊高人的弟子，天朝上國人氏唐天佑欲與商隊同行，彼此

有個照應。鼇之僕未聽他說完，便連連點頭同意，心想為仙人弟子服其勞，可是好事中的好事，便對徐允恭說只要仙翁弟子肯賞臉，不僅途中食宿全包，每月尚奉上十兩銀子束脩，當作是他給仙翁執弟子禮。

徐允恭聞得，自然點頭稱善，不動聲色告退，前去告訴唐天佑這個好消息。唐天佑雖然興奮，不忘裝出一副「天朝貴客跟著你走是你的榮幸」的樣子，免得落了汲汲營營的下乘嘴臉，被鼇之僕看輕。徐允恭明知他這點心思，也不說破，逕把他帶到鼇之僕所住的西廂房。

「仙師弟子竟願屈尊與我等同行，真讓僕受寵若驚！」

果然才聞推門聲響，鼇之僕便蹬雲而上，行禮如儀，接著拉起唐天佑的手就是一陣搖晃，顯得頗為親熱。

「俺……咳，吾師有言：『大隱隱於市，小隱隱於山。』吾乃大隱的弟子，定要跟著商隊走大路才安全。」

唐天佑隨口胡謅幾句，鼇之僕心事重重，也沒聽出蹊蹺。幾人客套半晌，分別就坐，鼇之僕刻意將裹著紅綾的腳藏在桌布下，狀似無意問道：「啊，允恭，我託你

買的東西買到了嗎？」

徐允恭點點頭，將一個小布包從懷中掏出，擱在桌上，灑出些許粉跡，正想回話時，鳌之僕便打斷道：「得了得了，有勞。」接著掏些碎銀給他，神色詭異。

唐天佑瞥了那布包一眼，憑他從小到大待在藥材鋪打雜的經驗，一聞便知是石膏粉，再看看鳌之僕腳下裹著一團紅綾，遮遮掩掩，忍不住問道：「吾見鳌大人以紅布裹腳，又讓徐兄買石膏粉，莫非是腳受了傷，需要打石膏固定？」

鳌之僕露出困窘的神情，吞吐半晌道：「果然瞞不過仙師高徒。」想他不慣說謊，便把以紅綾裹腳的前因後果跟他說了。原來鳌之僕怕紅綾欲蓋彌彰，竟異想天開，讓徐允恭買來石膏粉和紗布，在紅綾底下製作夾層，欲以溢出的白粉稍稍掩蓋黑雲，沒想到來不及試驗效果如何，便被識破。

唐天佑忍笑忍得幾乎岔氣，還是徐允恭在桌下踢他一腳，他才稍作收斂，道：「我還以為大人這幾天鮑魚吃多了，想拿石膏煮豆腐吃，清清腸胃。說來鳌大人也是冤枉，那人自個兒要去賭，與鳌大人何干？俺想不如你把這批貨賺來的錢捐去造橋鋪路，說不定雲馬上就能變白。」

鼇之僕唯唯以對，依然愁眉不解，徐允恭知其緣由，聞言蹙起眉頭，道：「雲色轉換，非一蹴可成，目下仍得先想法子遮掩。」

唐天佑搔搔額頭，好歹鼇之僕是他未來幾個月的金主，不能置身事外，盯著桌上那一小包石膏粉半晌，靈機一動，問道：

「敢問鼇大人可有腳氣[1]？」

「啊？」

鼇之僕與徐允恭同時轉頭看他，他拿起那小包石膏粉揮啊揮的，道：「石膏跟滑石、冰片和一點密陀僧一起磨粉，用紗布綁在腳上，可以吸汗除臭，治腳氣病，反正鼇大人不穿鞋走路也磨不破腳，要不要試試？」

兩人聽了半晌，才明白唐天佑是幫鼇之僕找臺階下，鼇之僕總算醒悟，連忙道：「果然名師出高徒，真真一語中的，最近天氣潮濕，腳悶在靴裡怪癢的，還是不穿的好。允恭，就有勞你照著這方子，幫我配幾斤藥粉，再買幾十卷紗布，我好每天

1 腳氣：即香港腳

更換，保持衛生。」

徐允恭忍笑應了，唐天佑這法子實是看藥鋪掌櫃常給人配的，當下得意洋洋，煞有介事道：「咳咳，此乃吾師傳授的一點藥餌之術，大人見笑了。」

「不不不，仙翁高徒太謙虛了，等我腳氣痊癒，定要將這仙方配為成藥，加上我的親身體驗，售予一干為腳氣所苦的人，也算一樁好事。」

鼈之僕不愧商人本色，拱手作揖道謝，對唐天佑的身分更深信不疑，徐允恭也不得不佩服他的一張嘴。兩人於是告辭出門，一同去藥材鋪盡數蒐購藥材，擣了幾斤腳氣粉回來，唐天佑還特別選了網目較粗的紗布，好讓白粉順利散出，在腳下製造朦朧的效果。

擾攘幾日，鼈之僕的商隊終於從無腸國啟程，公孫老爺臨行前另贈了二十兩給唐天佑做路費，唐天佑得此意外之財，路途且有鼈之僕與徐允恭照應，可說無憂無慮，沿途風光只看得他目不轉睛，連南極仙翁、心月狐都給他拋諸腦後。

一行人離開無腸國境，進入一處三不管的森林地帶，眼見樹影掩映，耳聞野鳥亂啼，野獸窸窸窣窣出沒，徐允恭與幾個負責押運貨物的壯丁都提高警戒。鼈之僕雙

腳裹了兩團紗布，一動便噴出許多氣味嗆鼻的白粉，搞得四周煙霧繚繞，別說黑雲白雲，連長著兩隻腳三隻腳都看不清了。

唐天佑慣闖深山野林，並不害怕，只顧盯著飛來跳去的珍禽異獸，不住讚嘆道：「海外果然什麼珍禽異獸都有，俺這回真真開了眼界。」

鳌之僕遙指不遠處，笑答道：「天佑『果然』心想事成，才說『果然』，恰巧便有『猓然』來了。」

唐天佑隨著他的目光望去，只見山坡上有隻異獸，長得似猿非猿，渾身白毛，毛上幾許黑紋，軀體不過四尺，後面一條長尾卻由身子盤到頭頂，足足兩尺有餘，正守著一隻死去多時的同類，哀哀痛哭。

唐天佑見這怪猿頰下長著許多黑髯，好似落腮鬍子，便問道：「鳌大人剛才說『猓然』來了，是說牠就叫『猓然』嗎？俺看牠不只長得像人，哭聲也很像人，可憐牠死了同伴，竟也懂得啼哭。」

「不錯，此獸名喚『猓然』，生性最是友愛同類，獵戶若欲取其毛皮販售，只要捉住一隻打死，放在山坡野地，往往便有路過猓然守屍哀悼，且任人捕捉，從不逃

竄。想來這又是獵戶設的陷阱，待會便來抓牠們了。」

鼇之僕解釋道，唐天佑聞言皺起眉頭，正想為兩隻猓然求個情，望鼇之僕當作放生積德，忽然山上颳起一陣大風，林木唰唰亂響，徐允恭等護衛見風來得古怪，紛紛喝叱眾人不要亂跑，各找地方躲好，言猶在耳，便見林內飛出一隻怪鳥，其形如鼠，身長五尺，一雙紅腳，一對翅膀漫天亂振，嘴裡不住噴射絲絲膠水，腥臭異常，目標竟是兩隻猓然。

「這又是什麼怪鳥？噴出來的玩意兒臭死人了，直比無腸國的糞坑池還臭！」唐天佑嚷道，捏著鼻子，既驚且怕，探頭張望。

徐允恭一手把他的頭按到草叢裡，不忘道：「此鳥海外犬封國最多，名『飛涎鳥』，口水如膠，餓的時候把口水灑在樹上，別的鳥兒經過，沾上便被黏住。今天大概是餓得緊了，才來撿現成便宜。」

唐天佑想了想，才想起無腸國公孫老爺家的大廚便是犬封國人，心想這兩國還真是臭味相投，他記得聽徐允恭說過，犬封國人長著一副狗頭狗腦，對「吃喝」二字最是講究，除此之外一無所能，可說是酒囊飯袋，由於懂吃愛吃，國民多至別國做廚

師、開餐館，也算適得其所；就不知為何有這種光流臭口水不事生產的怪鳥。

「哎，希望牠吃了兩隻猓然便飽，別來招惹我們啊！」鼇之僕自身難保，偏偏身材高大，只能盡量蹲低身子，藏了又藏，合掌祈禱這尊瘟神快快離去。

徐允恭臉色凝重，以耳貼地，觀察四周動靜。唐天佑有樣學樣，裝模作樣聽了半天，卻也聽出些所以然，低聲道：「好像有人？」

徐允恭點點頭，唐天佑看他臉色，心知不妙，又道：「該不會是山賊那一類的壞人？」

「但願只是普通的獵戶。」

雖是這麼說，徐允恭仍將腰間兩把短火銃[2]上了火藥，背上的長火槍也取了下來上膛。鼇之僕看他這態勢，更是滿臉冷汗，再看看自己價值連城的幾馬車貨物，叫道：「天啊！天佑你這次可千萬不要心想事成啊！千萬不要是山賊啊！允恭啊！你可千萬要保護我們啊！」

---

2 短火銃：即打獵用的短火槍。

唐天佑看火槍看得興起，見徐允恭擺弄半晌，也沒管鼇之僕瞎嚷嚷，終忍不住問道：「這把短火銃可以借俺帶著嗎？」

徐允恭看他一眼，唐天佑連忙補充道：「俺是想帶著火銃，用俺的『躡空術』，偷偷過去探路，看看那幫人究竟什麼來路，總好過在這兒瞎猜。」

唐天佑說得大義凜然，說到底還不是想借火銃看看，鼇之僕不解其「深意」，便在一旁幫腔道：「對對對，趕緊過去看看，也省得我操心。」

徐允恭沒法子，只得解下一把短火銃給他，簡單教了他使用方式，唐天佑聽得仔細，最後也學徐允恭一般把火銃扣在腰帶上。

「別輕舉妄動。」徐允恭不忘叮嚀，唐天佑點點頭，活動活動筋骨，便施展身法，藉著樹林枝葉掩映去了。

這廂走了個探子，那廂的飛涎鳥吐了半天口水，終於飛到兩隻動彈不得的猓然跟前，一爪一隻掐著走了。鼇之僕等人窩在草叢裡以衣掩鼻，好不容易忍到牠臭烘烘的飛過，唐天佑亦趁著飛涎鳥的振翅聲，掠身而回。

「怎麼樣？」鼇之僕迫不及待問道。

「不得了啦！」向來天不怕地不怕的唐天佑，此時也露出驚恐的表情，繪聲繪影的說道：「我剛才飛過去看，遠遠只見十幾個人手拿長槍大刀，頭戴浩然巾[3]，面上塗著黑煤炭，個個腰粗膀圓，一邊帶著個好像是抓來的書生，一邊說什麼飛涎鳥把他們陷阱裡的猓然帶走了，山寨今天沒得起灶煮晚飯，就要把書生大卸八塊烤來吃了！」

黿之僕聽得一陣暈眩，碩大的身軀倒在徐允恭肩上，不住喃喃道：「頭戴『浩然巾』……我們該不會是遇上傳說中最兇惡的『兩面國』強盜了吧？」

唐天佑還來不及問什麼兩面國，但聞雜亂的腳步聲漸近，想來是一幫怒氣沖沖的強盜就要過來了，徐允恭正欲提槍上陣，黿之僕卻連連搖手道：「我……我看還是別打了，我們怎打得過他們夾刀帶棒十幾個人？還是快逃命吧！挑值錢的東西帶著，其他的留給他們做買路財，希望他們別追上來啊！」

徐允恭愕然，唐天佑忙不迭道：「不行不行，做人要見義勇為，黿大人，你不

3 浩然巾：一種頭巾，形狀有如今日的風帽，其後有長披幅，相傳唐代孟浩然曾戴用，因而得名。

是說要做好事漂白你腳下的晦氣雲嗎？佛家說『救人一命，勝造七級浮屠』，可是大大的一件好事啊！你怎麼能白白錯過？」

鳌之僕猛然醒悟過來，內心正在掙扎時，徐允恭已然當機立斷，將另一把短火銃也給唐天佑，再把火柴塞給鳌之僕，道：「難得賢弟有此俠心──愚兄先把火藥灑在乾樹葉之間，引他們過來，鳌大人站在車前，乘機點火柴扔進火藥堆裡，賢弟身負絕藝，就藏身樹梢見機行事，一把短火銃有五發彈藥，不要浪費了。」

商量妥當，時間也不能容許他們多想，只能各就各位。一群護衛先前早已帶著車馬貨物往樹林深處躲去，但目標依然十分明顯，鳌之僕只好畏畏縮縮站在樹後，袖裡藏著火柴，指間盡是黏汗。

「就這賊廝鳥幹的好事！把咱兄弟們這幾天的晚餐弄飛了！」為首的強盜老遠便指著飛涎鳥黏在樹林間的一堆羽毛破口大罵。

「只可惜這臭鳥嘴臭，若這大堆口水絲是燕窩，咱們這下就發財了。」旁邊一名嘍囉陪笑道，立即換來頭子一耳光招呼。

「混帳！要吃你自己吃！」

嘍囉之一被打飛，嘍囉之二立即搶上道：「頭子，這猓然肉難吃，毛皮也值不了幾個錢，飛了就罷了，倒是今早抓到這書生，聽來會䟦兩句文，說不定是那說話酸氣沖天的『淑士國』人，我看不如賣去給人做書僮，總比吃他的酸肉湯好。」

那頭領哼了一聲，瞥了瞥被兩個嘍囉拖著走的書生，道：「這幾天淨做賠本生意，只抓到這沒幾兩肉的酸儒——你明天把他拿去插標叫賣，若沒人買，便拎去肉攤剖了，掏乾淨肚腸剁塊再帶回來煮，記得多買些薑蒜辣子蓋去酸味。」

那書生聞言，頓時面如敷土，身似篩糠，全身抖得不成人形，幾個面有飢色的嘍囉，看他的眼光更像看著待宰的兔子，唇舌嚼得嘖嘖有聲，聽得唐天佑一干人雞皮疙瘩大作。

「咦？頭子，你看！」

嘍囉之二耳聰目明，一眼便見躲在樹後的鳖之僕與一干馬車貨物。那山寨頭領望去，霎時眼前一亮，喜道：「塞翁失馬，焉知非福——這酸儒䟦文，也不是沒有道理，想不到走了兩隻猓然，卻來了一隻大肥羊送上門！」

手拿大刀長槍的嘍囉們亦是精神一振，雙眼放光，跟著叫道：「肥羊！快留下

買路財，大爺們或許可以留你一命！」

「稟告大王，我是小本經營，隨身貨物俱不值錢，這裡有些許銀兩孝敬，只求大王饒命！」鼇之僕顫聲道，接著從懷裡掏出一包銀兩，心想若能以銀錢解決，無謂動刀動槍多損人命。

「好啊！同你說也不中用，竟敢跟本大王談條件，且把你性命結果了，你的東西不就全都歸我！」說著手舉鋒利大刀，便往鼇之僕奔去，忽見草叢飛出一彈，把他打得仰面跌翻，接著又是一彈穿胸，把他打得倒地不起。然後一彈接一彈，彈無虛發，每發一彈必倒一人，想必是徐允恭所為。

「竟敢暗算大王！」諸嘍囉此起彼落叫道，紛紛搶上，鼇之僕嚇得沒法，只能丟開銀兩，點起火柴往火藥堆扔，一時只聞轟隆聲大作，把衝前幾個嘍囉炸得人仰馬翻，隨即半空飛來幾彈，五發中三，又是後頭三個嘍囉倒地。

「樹上還有埋伏！」嘍囉之一喊道。

「頭子，你沒事吧？」嘍囉之二上前攙扶道。

「可惡！殺！殺！給我統統殺死他們！」那頭子摀著胸口叫道，說著又吐了幾

口血，臉如金紙。

「快……快給我衝上去打！」

鼇之僕亦被激起血性，指揮幾個護衛拆下車轅當作武器，見有人逃過彈藥攻擊，便是一陣亂棒伺候，徐允恭長槍十發彈藥打完，撿起地上長槍，便也加入亂戰。那書生倒十分機靈，趁兩個箝制他的嘍囉受傷之際，抽出自家佩劍，有樣學樣，一陣亂刺亂砍，好不容易逃出生天，山賊們也被收拾得差不多了。

唐天佑仗著身法高明，不時在幾棵樹上飛縱發射，讓山賊們以為樹上埋伏的不止一人，子彈打完，便一躍下樹，一起亂棍伺候。那頭子眼看自己傷得重，對方又不斷有人殺出，牙一咬，指揮幾個殘兵扶起自己，發一聲喊，把那跌倒的、受傷的，三個抬起一個，兩個拖著一個，轉眼走不見蹤跡。

「給老子走著瞧！」

山大王走前不忘發狠，挽回最後一絲面子。鼇之僕這才鬆一口氣，扔開手上木棍，道：「這回多虧允恭和天佑，否則我還不連人帶貨斷送在這幫山賊手裡？」

徐允恭拱手為禮，表示不敢。唐天佑剛才射了一輪彈藥，只覺虎口震得發麻，

甩了甩手，便把兩把短火銃交還，道：「原來火銃使起來這麼重，明明瞄準了，發射時一震又打歪了。」

徐允恭收起火銃，笑道：「初次射擊，能有十中六七的水平，已經不錯了。」

那手持長劍的倒棢書生，這時才一拐一拐的走來，拜謝眾人拯救之恩，自道姓「宓」，名「不疑」，乃君子國人，旅途橫遭強盜劫財，多虧諸君搭救云云。眾人還禮，見他梁冠要歪不歪，頭髮被火藥炸得燒焦幾撮，臉有幾道黑炭掌印，連忙招呼他洗手擦臉，才一一自我介紹。

「鄙人聞大人國只能乘雲而不能走，每每想起，恨不能立刻見之，今天真是天從人願，使我得遇恩公救我於水火。」說著便長拜到地，拜完還作勢要跪地答謝鰲之僕等人的救命之恩。

鰲之僕素知君子國民風淳厚，有恩必報，於是連忙攙起他，直說是順水人情，不然自己也逃不過山賊暴行。宓不疑不依，說自己錢財遭搶，無以為謝，堅持要行大禮，他只好又說自己腳氣，味道不雅，恐怕衝撞君子，推推托托，好不容易阻止宓不疑，唐天佑一手拉他坐下，關心問道：「俺們剛才魯莽出手，宓先生沒被火藥流彈擊

中吧？」

宓不疑接過徐允恭遞來的水壺，點頭致謝，方答道：「幸好那兩個嘍囉拖著鄙人，腳步落在後頭，鄙人只是受了些虛驚，兩位神槍手百發百中，自然更無流彈傷到鄙人。」

說話之間，一隻虎紋貓倏地從樹林竄出，跳到宓不疑膝上，不住伸舌舔舐他的傷口撒嬌，宓不疑被舔得又痛又癢，連連閃躲，卻是笑得十分開心，手摸虎紋貓的身體，道：「阿寅，你真聰明，居然懂得回來找我！」

唐天佑看不過去，右手三指把那貓拎起來，免得牠長倒刺的舌一再殘害主人。宓不疑才說這是他養了幾年的貓，這次帶牠出行作伴，想不到這貓徒有虎形，一見強盜便被嚇跑，總算一路不離不棄，還懂得回來認主人。

「我們不如先離開此林，先到黑齒國再慢慢說話，以免那山賊另有同黨過來，便沒有火藥應付了。」

鼇之僕打個冷顫，顯然猶有餘悸：「允恭說的是，咱們這就走吧！」接著轉頭問道，「宓先生欲往何處？若不介意，咱們不妨同行，也好有個照應。」

宓不疑自然連連點頭同意，虎紋貓阿寅則自動自發跳上車，準備隨隊出發。
未知前路如何，下回分曉。

第四回

吐心聲君子求親
倒乾坤女兒出醜

好不容易提心吊膽穿過樹林邊境，進入黑齒國，眾人都不約而同有重出生天的感慨。顧名思義，黑齒國的國民通身如墨，連牙齒都是黑的，行事最是拘禮，光看市中有條大街，走路時，男人俱由右邊行走，女人都向左邊行走，言語都是彬彬有禮，想來不會有盜賊肆虐。

商隊浩浩蕩蕩進了城，見街上買賣熱鬧，言語也還易懂，不知不覺放下心來，而人這一身最是犯賤，一旦由極度緊張鬆懈下來，便覺肌肉酸痛、骨頭散架，只想坐下好好吃飯休息。

鳌之僕搥搥肩膀，雖說他乘雲而行，無腿腳之累，但拿棍敲了一輪山賊，吃了半天虛驚，也覺手疲心悸，便對徐允恭道：「允恭，我看前面有處客棧，大家不如先在那裡歇息一晚，明日再作打算。」

一夥人放眼望去，只見客棧建築雅致，環境清幽，小院門外尚種有兩棵梅樹，顆顆青梅結在樹梢，十分可愛，於是紛紛贊成，一個個往客棧而去，徐允恭看看那兩棵高大梅樹，本想說話，見大家都累得不成人形，狀似無奈的搖搖頭，便也指揮眾護衛洗馬卸貨去了。

其他人進了酒樓，各自在樓下揀個座兒坐了，左看右看，都覺這家客棧太過清靜了些，偌大一樓沒幾桌客人，酒保、掌櫃皆是儒巾素服，面上戴著眼鏡，手中拿著折扇，斯斯文文，不太像是黑店。唐天佑只覺四周隱隱有股異味，如酸帶餿，說不定是店家食物不新鮮，難怪沒有客人。

正揣摩之間，旁邊走來一個酒保，拿抹布抹了抹桌子，打躬陪笑道：「三位先生光顧者，莫非飲酒乎？用菜乎？抑或住店乎？敢請明以教我。」

鼇之僕一愣，想不到打走滿口粗言穢語的山賊，卻來了個咬文嚼字的酒保，便揮揮手道：「有酒有菜，儘管快快拿來，我們都餓得緊了。另外準備幾間上房，我們還有馬兒貨物在外頭，草料也一併計上帳。」

酒保不知是聽沒聽明白，又陪笑道：「請教先生，酒要一壺乎？兩壺乎？菜要一碟乎？兩碟乎？上房要三間乎？五間乎？馬兒有八匹乎？十匹乎？」

唐天佑見這酒保說話比他家鄉的私塾夫子還要斯文，當下暗笑於心，作勢道：「什麼乎不乎的，好酒好菜你只管取來，不夠再添，房間整理個幾間出來，然後餵馬，你再『之乎者也』，俺先呼你兩巴掌再說！」

那酒保亦是秀才遇到兵，當下顫聲道：「小子不敢，小子改過。」隨即走去取了一壺酒，兩碟下酒的青梅齏菜，三個酒杯，替每人恭恭敬敬斟了一杯才退下。

酒菜一上桌，眾人便覺一股酸氣直衝頭腦，十分醒神。三人你看我、我看你，還是唐天佑鼓起勇氣，舉杯淺嘗一口，不料那酒才下咽，便酸得他口水直流，雙眉緊皺，叫罵道：「這哪裡是酒！根本是醋！」

徐允恭久居淑士國，一見門前兩株梅樹，便覺古怪，進門聞到客棧那股酸味，更覺不妙。淑士國向來以城池四周圍繞的億萬梅樹聞名，其國民一方面注重識字通文，莫不以讀書考試、換上一身儒服為榮，一方面又視錢如命，除了書坊酒肆，少有其他商家，又特別喜歡吃酸，尤愛酸梅齏菜豆類食物，都說酒味「酸為上，苦次之」，飲食口味十分特異。如今不知怎的來黑齒國開客棧，想來是裝潢故作風雅，掌櫃酒保一派斯文，才騙得他們這些外地客投宿。

徐允恭安頓好馬車貨物，與一干護衛進來，見唐天佑被酸得大叫大嚷，便喚來酒保，叫他把上等酸酒換成下等苦酒，多要一個酒杯，幾碟鹽豆、青豆、豆腐皮、醬豆腐等下酒菜，幾人才稍稍安生，一邊喝苦酒，一邊聽他解釋淑士民情。

唐天佑順口問起浩然巾山賊的事。原來兩面國民風險惡，其人皆有一張正臉，一張反臉，正面都是和顏悅色，滿面謙恭，反面則是鼠眼鷹鼻，滿臉橫肉，掃帚眉血盆口，長舌宛如一把鋼刀，於是才用浩然巾把反面遮住，光露出一張好臉巧言令色騙人，至於那些強盜，正面反面皆獐頭鼠目，戴上浩然巾不過聊勝於無罷了。

「原來那狗頭廚師也有好處，起碼不會弄得整桌餿菜苦酒，滿嘴發酸！」說著說著，唐天佑不由得懷念起無腸國狗頭廚師烹飪的美味，愈想愈是口水直流。

「這客棧酒菜這般難吃，要是開在咱那裡，包準三天倒閉——唉，也是我們太心急，才著了他們的道。」鼇之僕跟著抱怨，幸虧眾人飢腸轆轆，酸食倒也開胃，只不過有愈吃愈餓之嫌。

宓不疑盯著眼前的酒菜，懷裡抱著虎紋貓阿寅，遲遲不敢動筷子。唐天佑以為他吃不習慣，便勸道：「宓先生還是先吃幾口，坐一會喘口氣，等會咱們再到外面找宵夜吃。」

「咳，鼇大人、唐公子、徐公子……」宓不疑吞吞吐吐，唐天佑還當他拘束，便笑道：「你看，大人國就是吃香，無論年紀大小，都被叫做『大人』，俺也成了公

子，幸好你姓『宓』不姓『韋』，不然就成『偽君子』了。」

「鄙人不是嫌棄這酒菜，而是……而是囊中羞澀，怕……」宓不疑伸手入懷，摸了半晌，奈何早被山賊洗劫一空，哪摸得出半點銀兩？鼇之僕看在眼裡，知他老實，不願占人便宜，忙擺手道：「在家靠父母，出外靠朋友，你如今落難，也別在意錢的事，些許酒菜算不上什麼。倒是你接下來要往哪裡去？要先回君子國嗎？」

「不瞞諸位恩人，鄙人此行，是要前去女兒國求親。」宓不疑說到一半，羞意由脖子紅上了臉，十分難為情的樣子。

「求親？那你的金銀財寶都被搶了，還求得成嗎？」

徐允恭轉頭瞪唐天佑一眼，鼇之僕一拍掌，續道：「正好我們也要到女兒國，先把綢緞珠寶脫手，再拿現款至北海嘔絲之野進絲貨。不如一路同行，你再捎信回家，請親友想想辦法，免得誤了迎親佳期。」

北海嘔絲之野的桑林，住著許多以絲綿纏身的婦女，以桑為食，俱會吐絲，其絲質優價廉，買回大人國加工織染，轉眼又是一筆生意，鼇之僕如意算盤的確打得響叮噹。

「唉，諸位盛情，鄙人不勝感激，只不過……」

唐天佑搭著他肩，勸慰道：「只不過什麼，你不把俺們當朋友嗎？俺聽說女兒國太子最近選妃，想必十分熱鬧，太子娶你也娶，你未來丈人總不會如此無情無義，女婿沒錢就拿掃把趕出家門吧？」

提起女兒國太子選妃，宓不疑臉色更顯沉重，清清喉嚨，有點不知從何說起的感覺，好半晌才緩緩道：「其實鄙人是瞞著家裡出來的，家人並不贊成這樁婚事，我們也未曾訂親。」

三人驚訝不已，只因宓不疑看來斯文秀氣，絲毫不像膽大妄為之輩。只見他咬緊牙根道：「鄙人是君子國王子，從八歲起至女兒國為質子[1]，直到十八歲歸國，鄙人欲求親的對象，乃是當今女兒國的二王子陰鳳翾。」

三人聞言，更是不可置信，宓不疑則像豁出去似的，一五一十把前因後果皆說出來：原來他是已故君子國國王的第十三子，當今君子國國王乃是他王長兄，當年即

1 質子：古時派往別國做人質的人，多為王子或諸侯之子。

位還沒有孩子，不得已把幾個弟弟送到國外當質子，好不容易捱了十年回來，當然希望弟弟們留在國內過幾天好日子。然他在女兒國這十年間，與女兒國的二王子陰鳳翾情投意合，兩人時常切磋詩文，相約品茶聽曲，只因外國質子不須受女兒國律法約束，日子倒不算難過。

而女兒國自古以女為天，女子穿靴帽主外，男子穿衣裙主內，且民風剽悍，怎肯讓「王子」遠嫁國外？若是宓不疑「嫁」過去，勢必要敷粉裹腳，改作婦女裝扮，終日困守在家刺繡讀書，倚門望夫早歸。即使君子國主寬容大度，也不能忍受王弟如此窩囊，因此極力反對，自他回國後，便連連替他安排相親宴，宓不疑稱病不去，其王兄索性在他二十冠禮[2]後，硬替他訂下一門親事，不日便要完婚。他氣急之餘，又聽說女兒國太子陰鳳翔即將選太子妃，深怕女兒國王順便從各地上貢的「佳麗」幫幾個王子挑王妃，只好留書離家，身邊沒帶一個隨從，無奈路逢強盜，把他幾件玉器首飾給搶了，若不是遇上唐天佑等人，恐怕連小命都沒了。

「幾位兄長皆云，女兒國民反女作男，個性跋扈，非我良配——唉，說來是我行事魯莽，匆忙出國，又貪抄近路，才落得如今窘境，若非鼇大人相助……」說著眼

眶泛紅，鰲之僕深怕他又來跪跪拜拜那一套，忙道：「王子言重，我……我也不瞞你說，我早前因為做了一樁虧心生意，腳下生了一股晦氣，為了做好事去晦氣，才不惜與那幫盜賊拚命救人，王子你就讓我做做好事，別再和我計較，聘禮也可從我這裡的綢緞珠寶賒借，你君子國民的人格我十分信得過……」

唐天佑與徐允恭看二人一見如故，言語投契，一時不知如何插口。徐允恭低頭默默喝酒吃菜，唐天佑偷偷問他道：「那些女兒國的女人真的這麼可怕嗎？男人在他們國裡留鬍鬚穿裙子裹腳，不覺得彆扭嗎？」

徐允恭搖搖頭，「我從未去過女兒國，但聞他們『乾坤顛倒』習成自然，在他們眼裡，恐怕我們男兒穿靴在外行走才奇怪。」

「乾坤顛倒？陰非陰，陽非陽……乾坤顛倒……那女兒國王子也姓陰……」唐天佑喃喃幾句，突然想起南極仙翁推他落山崖前透露的線索，難道那心月狐就藏在女兒國裡？

---

2 冠禮：古代男子二十歲所舉行的加冠之禮，表示其已成人。

唐天佑不自覺「啊」了聲，徐允恭轉頭盯著他，鼇之僕與宓不疑也停下說話，唐天佑好半晌回神，才發現眾人目光集中在他身上，只能清清喉嚨，假裝被宓不疑的癡情故事感動，道：「那我們一定要快快趕往女兒國，幫宓先生抱得美人歸！」

宓不疑的臉又紅了，鼇之僕咳了兩聲，道：「我也這麼想，不知天佑囊中有何妙計？」

唐天佑囊中哪有什麼妙計，只不過一心想去女兒國找心月狐，順便見識一下反穿女子衣裙的鬚眉男子究竟長什麼樣，便反問道：「嗯，我說宓先生，俺先問你一個問題。」

「唐兄弟請指教。」

「你是想與人家私奔，還是想明媒正娶？」

「自是明媒正娶，鄙人斷不會為一己之私，委屈我的妻子。」

很好，果然有泱泱君子之風，眾人心想。

唐天佑索性站起身，一腳蹺在長凳上繼續問道：「那要『你娶她』呢？還是『她娶你』呢？成親以後你們要住在女兒國還是君子國？你有把握說服你的王兄接受

這位弟媳嗎？人家二王子肯跟你回去嗎？還是說服你自己住在女兒國？說不定哪天二王子討幾個男妾……你難道要哭著回君子國娘家訴苦嗎？」

「這……」

宓不疑一愣無言，顯然是抱著船到橋頭自然直的想法，憑著一頭熱血便衝去女兒國，打算先找到心上人再說。唐天佑嬉笑怒罵，一連拋出幾個關鍵問題，聽得鼇之僕和徐允恭冷汗涔涔，深怕宓不疑惱羞成怒，幸好宓不疑修養甚好，臉色由紅轉青，由青轉白，最終嘆道：「我對翾翾一心一意，想來她亦是如此，難不成我就這樣放棄嗎？」

徐允恭踢了踢唐天佑的腳，要他坐下。鼇之僕小心翼翼問道：「十三王子……你……你與女兒國那位陰二王子真是情投意合？」言下之意即是否一廂情願。

「唉，我與翾翾雖無白首之約，卻早已心靈相通，臨走前，她把阿寅給了我，說要是惦記著她時，便和阿寅說說話，就像她在我身邊一樣……」宓不疑抱起虎紋貓，下巴在牠頸間廝磨，阿寅咪咪叫了兩聲，伸舌舔他脖子，聊表哀傷。

「阿寅，你也在想你的主人嗎？」

宓不疑淒然道，唐天佑見一人一貓如此肉麻，翻個白眼，總覺得牠是餓了，見

這一桌子餿菜沒胃口。

眾人討論一陣，依然沒個定論，鳌之僕隱然為四人之首，想了半天，也只能以船到橋頭自然直的前提總結道：「我們休息一晚，明天出發前往女兒國，屆時想辦法聯絡陰二王子，再作打算。」

宓不疑沒心情再聊下去，無精打采的同意，鳌之僕再三強調不必擔心旅費與聘禮的問題，又請唐天佑好好開解他，才去休息。

女兒國與黑齒國相距約莫三四天路程，加上鳌之僕著意命商隊趕路，一行人在第三天傍晚便到達女兒國的首都鳳凰城。宓不疑在女兒國住了十年，青少年時期都在鳳凰城度過，女兒國可說是他的半個家鄉，也難怪他近水樓臺先得月，與女兒國的王子日久生情。

這幾天路上太平，沒遇著強盜小偷，倒是宓不疑洗衣服的時候發現奶娘在他衣袍夾層裡縫了幾層金箔，以備不時之需，若不是袍襟被刀割開，他還完全不知道這回

事。宓不疑生就君子國「好讓不爭，童叟無欺」的本色，立馬拆了幾件衣服，將金箔盡數給鼇之僕，請他熔去秤重，按數目換算銀兩，扣去旅費與折色[3]還給他，然後寫信給君子國王兄，表明自己非卿不娶的決心。

鼇之僕見這批金箔打得極薄，甚費功夫，熔了未免可惜，不如切細捻成金線織入錦緞中，更為划算。於是出錢向他買了，又硬塞了十幾匹綢緞和一枚寶石戒指、一套首飾給他，當作替他籌辦聘禮。宓不疑推卻不過，直說若姻緣得諧，定要備重禮謝謝他這大媒。

「若那兩面強盜真把鄙人剝光衣服，就知自己不是做虧本生意了。」

宓不疑回到熟悉的女兒國，手上又多了些老婆本，心情明顯好了許多，放下行李便去皇城南門看榜，查探有關太子選妃的事。唐天佑一路與他這識途老馬同行，這兒看看，那兒摸摸，簡直像初次進北京城的鄉巴佬。

只見道旁有個小戶人家，門內坐著一個中年「婦人」——一頭青絲黑髮，油擦得

3 折色：指金銀的成色純度不同所導致的換算差異。

雪亮，真可滑倒蒼蠅，鬢旁插著許多珠翠，真能閃瞎人眼睛，身穿玫瑰紫的長衫，下穿蔥綠裙兒，裙下露著小小金蓮，穿一雙大紅繡鞋，剛剛只得三寸，伸著一雙玉手，十指纖纖，在那裡繡花，一雙盈盈秀目，兩道高高娥眉，面上許多脂粉，再朝嘴上一看，原來是個落腮鬍子。

唐天佑忍不住「噗嗤」一笑，那「婦人」竟停了針線，老聲老氣，破鑼般朝他喊道：「你這騷蹄子，敢是笑我嗎？」

唐天佑嚇得倒退三步，那虯髯婦仍不歇不依的罵道：「你面有細鬚，分明是個女人，卻要穿衣戴帽混充男人！你這臊貨，明是偷看女人，其實想喬裝偷看男人，也不怕羞！」

唐天佑被他男人女人說了一通，搞得亂糟糟的。宓不疑見他闖禍，連忙上前，長揖到地告罪：「這位姐姐請了，鄙人這個小妹初來乍到，多有得罪，還請姐姐見諒。」說完又拜了一拜。

宓不疑長得斯文俊秀，面白無鬚，腰間佩劍且添他幾分英氣，頗似女兒國的「瀟灑美人」。虯髯婦給他一口一個姐姐叫得甚是歡喜，看唐天佑一副外國蠻夷，不

通世事的模樣，輕哼一聲，便低頭繼續繡他的花，眼角餘光時不時偷瞄宓不疑。

唐天佑給他看得打冷顫，趕緊拉著宓不疑跑了，直跑了十來丈，才喘著氣道：「俺從前只聽過《西遊記》的女兒國，沒想到海外當真有個女兒國！」想起《西遊記》的唐僧因相貌俊秀白淨，遭女兒國國王留難，差點脫身不得。自己雖稱不上俊美，也是年輕體壯，若重蹈覆轍，可就萬劫不復了。

「俺看俺還是學那兩面強盜，拿些煤炭塗臉，免得沾惹桃花劫。」

宓不疑自然知道《西遊記》裡唐僧與三個徒弟上西天取經的故事，笑道：「此地女兒國與書中有所不同：歷來本有男子，男女分工，與我們一樣，不過陰陽顛倒，女治外事，男治內事罷了。」

說起陰陽顛倒，唐天佑霎時想起心月狐的事，邊走邊問道：「宓先生，你在女兒國住了這麼多年，可曾聽說有很厲害的狐狸精作亂嗎？」

宓不疑皺了皺眉，他向來深居宮中，對鄉野傳聞不甚了了，想了半天，道：「鄙人未曾聽說。」

得不到答案，唐天佑亦不在意，反正諸事順其自然，南極仙翁總不會親自現身

催他吧？

兩人繼續朝南門前進，唐天佑再細看女兒國裡的「男人」，都是男裝女音，兼之身段瘦小，卻落落大方；反倒「婦人」裙下都露小小金蓮，走路腰枝顫顫巍巍，若走到人煙叢雜處，也是躲躲閃閃，嬌羞不已。而中年婦人有鬍鬚多的，也有鬍鬚少的，也有剃得短短的，有些沒鬚的，細看卻留有點點泛青鬚孔，想必要充作少婦，才拔得寸草不留，兼拿脂粉掩蓋，十分造作。

宓不疑見他打量人滿為患的脂粉攤，不厭其煩的解釋道：「此地風俗，自國王至庶民諸事儉樸，就只有個毛病：性喜梳妝打扮，無論貧富，一講到穿戴，莫不興致勃勃，哪怕手頭拮据，也要設法購求香粉衣料。如今太子選妃，有心人想必更著意打扮，以求太子青睞。」

唐天佑心想，難怪鼇之僕要帶這麼多綾羅綢緞、金銀珠寶到女兒國轉售，利潤一定兩三倍不止。這重本錢的大生意他做不起，小生意或許可以趁趁熱鬧，又見胭脂水粉的銷路甚好，從前他就常在周家藥材鋪替太太、姨奶奶們磨敷面藥、洗面粉，如今正可依樣畫葫蘆，到藥鋪照他記得的幾個簡單方子，磨些面藥面粉來賣，憑他天花

亂墜的口才，小本錢翻一兩倍定不成問題。
未知生意如何，下回分曉。

第五回

賺美人國舅垂情
迷魂魄太子狐媚

鼇之僕連連做了許多好事，腳下祥雲的晦氣色已然淺淡，義贈宓不疑聘禮後，不僅去得無影無蹤，還隱隱泛著黃光，樂得他喜上眉梢，想來是做了樁好事，把先前的虧心事抵銷，還倒賺幾分功德。如今正在房中細細打量腳下的流彩，正所謂飄飄然自鳴得意是也。

唐天佑撇下看榜的宓不疑，一枝箭似的衝回客棧，敲門進來，只見鼇之僕面帶微笑在房裡飄來飄去，不時低頭察看祥雲的色彩轉變，心情甚好。唐天佑見狀，順勢提出想拿點本錢做小生意。鼇之僕連聲說好，把答應的二十兩月俸束脩和用不著的腳氣藥全送給他，便與徐允恭出門談絲綢珠寶生意。

唐天佑是閒不下的人，跟著他們出門，找了一間草藥鋪，說下幾個相對簡單便宜的方子，包括用白芷、薏仁、杏仁、冬瓜仁、乾荷葉磨成的美白消水腫敷臉粉，綠豆、白芷、白芨、茯苓等磨成的治痤瘡[1]去疤敷臉粉，以及混合綠豆粉、薏仁粉等再加上兩倍皂莢起泡的洗臉粉，分別共磨細篩均勻。再買塊大紅布，打算明早請宓不疑寫面招旗[2]，中午去藥店取貨，下午便能開張。做買賣時順便和三姑六婆打聽有無狐狸精作怪的消息，可說是一舉兩得。

主意既定，為了宣傳自家產品的美容功效，唐天佑全忘了要拿炭塗臉掩飾，以免步上唐僧後塵的誓言，梳洗停當，便入境隨俗，將面上細青髫鬚剃得一乾二淨，指甲也修得整整齊齊。隔天醒來，換上新買的圓領袍紈袴，將一頭烏髮綁成根粗亮麻花辮，搭在腦後，活脫是機靈俊俏美男子一名——當然在女兒國民眼中，是美女一名——只盼大家能看他這活招牌，前來光顧。

隔天一早，四人分頭行動，鳌之僕談生意買賣，徐允恭買火藥磨槍，宓不疑聯絡上幾個老朋友，一心打探關於太子選妃的消息，唐天佑先在客棧央他寫了招旗，再借了輛板車，去藥店載了磨好的洗面粉、敷面粉和一大疊包藥牛皮紙，以及鳌之僕用不完的腳氣粉，就這麼推到南門市場橋頭，支起「天朝美容秘方」的招旗，開始吆喝叫賣。

橋上人潮擁擠，大多是些精心打扮的鬚眉女子，成群結隊採購來著。只聞有賣

1 痤瘡：即粉刺青春痘。

2 招旗：古時店面的招牌多為一旗幡，故稱。

生髮烏髮方的，有賣落鬚無痕方的，有賣常見的胭脂水粉，也有賣唐天佑從未見過的染眉染鬚墨水，號稱百洗不脫色，只見那小販拿毛筆沾墨在手上畫了幾道，再拿布沾水擦拭，竟是擦也擦不掉，引來許多白眉白鬚的老婦圍觀，繼而掏錢購買，可見愛美之心老少皆然。

唐天佑有樣學樣，打開水壺，調了些許美白敷臉粉，擦在手上，中氣十足的叫道：「各位姊姊妹妹阿姨姑姑，走過路過請不要錯過，天朝上國傳來的神奇秘方，敷一次皮光肉滑氣色好，敷兩次吹彈可破易上妝，敷三次就能徹底改善膚質，由裡白到外。正所謂『一白遮三醜』，為了慶祝太子選妃，現在特別提供三十個免費試用名額，敷臉敷手，一刻鐘洗掉，馬上見效，買一包回家敷全身，一晚脫胎換骨，讓你飛上枝頭當鳳凰！還有除疤去痤瘡的神效綠豆粉，持續敷十天，痤瘡跟你說再見，配合洗顏粉使用，功效加強三倍……」

一聽聞有免費試用，幾個貪小便宜的鬍鬚大嬸立即走過來探看，唐天佑見生意上門，便也收起把他們當異類變態看的心態，入境隨俗，笑意盎然道：「幾位姐姐請了，可要試試小弟……呃，小妹從家鄉帶來的美容秘方？」

「這真是天朝上國的方子？」

「如假包換！唉，話說俺不幸從天朝上國流落到這裡，舉目無親，只得出賣此家傳秘方為生，今日與姐姐們有緣，就不惜成本，給姐姐們試試神效！」唐天佑口若懸河，一副「你不試就虧大了」的模樣，引得眾人蠢蠢欲動，紛紛伸出手背給他調上一小團美白粉，你擦我抹，嘻嘻哈哈，十分歡喜。

「哪，俺現在先給各位姐姐擦左手，待會洗掉之後和右手對比，各位姐姐就知道效果如何了！」

唐天佑邊抹邊和他們介紹幾種美容粉的不同功效，順便說了幾句腳氣粉的好，沒想到旁邊有個鬍鬚都沒長齊的小姑娘，不問價錢，便臉紅紅塞來幾錢銀子，小聲說要一份腳氣粉，唐天佑知他不好意思，便拿紙包了一大包給他，他一手接過，還來不及聽唐天佑解釋用法，便風也似的跑了。

過了半刻，幾個大嬸紛紛拿嫣紅翠綠的手帕沾水把敷粉擦去，兩相比對之下，果然一手微黑，一手嫩白，像是表面一層粗皮被細細磨去了，當下興奮不已，嘰嘰喳喳的你摸我、我摸你，紛紛說要帶幾份回去。

唐天佑一一應了，手腳伶俐的拿紙包粉，口中道：「開張第一筆生意，原價四錢銀子，七折價二錢八分，買兩包算五錢——謝謝各位姐姐光顧，歡迎介紹朋友再來，這幾天我都在這裡擺攤！」

打躬作揖送走顧客，唐天佑才想起忘了向他們打聽心月狐的事，懊惱一陣，旋即重施故技叫賣，果然又招來幾個年輕女子，這回他邊推銷邊和人聊天探問，當地人也沒聽說什麼狐仙作怪的事，唐天佑聊得興起，美容粉的生意亦愈來愈好，到最後連聊天的空閒都沒有，只顧著解說各種粉的功效，一手包粉一手收錢，什麼狐都飛到九霄雲外。

「婦人本質，唯白最難，白皙之中，且要細嫩為上。只因肌膚細而嫩者，如綾羅紗絹，其體光滑，故受脂粉之色易，褪日曬之色亦易。肌膚粗則如布如毯，其受色之難，十倍於綾羅紗絹，至欲褪之，時間更不止十倍，故肌膚黑者大多粗糙，先天缺陷，難以後天補救。」

唐天佑抬起頭，便見一位錦袍玉帶，未語先笑的中年男子——自然是女兒國中的男子——在唐天佑眼裡，就是個女扮男裝的中年美婦，正搖著折扇過來，笑意盈盈

看著他。其他人一見這中年美男走近，都羞答答退到一邊，低聲議論，只剩唐天佑與她對看。

唐天佑聽她跩了半天文言，好半晌才明白她的意思：女子難得皮膚又白又細，皮膚好上妝容易，曬黑回白也容易，皮膚粗黑者則剛好相反，即便敷臉也難以補救——這人說這話可不是擺明拆他臺？還把他那些姑娘客人都趕走了。

「話不是這麼說，這位……公子，可不是人人像您一樣養尊處優，咱們小戶人家『女兒』，日日洗衣洗碗、煮飯打掃，有的還像我一樣得拋頭露面、賣菜耕田，就算白嫩皮膚也被折騰得又粗又黑，不保養怎麼得了？且不說這個，就算天生麗質、足不出戶，也是會生皺紋的！光靠脂粉掩蓋，又能掩蓋多少？自是平常以面脂面藥保養為上。」

唐天佑表面笑嘻嘻答道，想來不願得罪有錢人。四周姑娘聽他這一番體己話，紛紛點頭稱是，唐天佑抱拳向周圍答謝。那中年貴公子聽他這番答辯，卻也不惱，收起折扇，點頭道：「難得你這天朝女子，五官端正，肌膚既白且滑，說話亦有條有理，在此拋頭露面，當真糟蹋美玉，可惜可惜。」

唐天佑給她看貨物似的眼光看得起雞皮疙瘩，見她穿金戴銀、皮光肉滑，也不像在路邊攤買面藥回家自己敷的小家碧玉，光說些言不及義的話，不知想幹什麼？想了半天，只得勉強客氣道：「俺初來貴寶地，無親無故，只能靠小生意混口飯吃，公子如果不幫襯，還請稍讓則個，莫擋在俺攤位前，阻俺做生意。」

那貴公子倒也十分乾脆，劈頭道：「你這些貨值多少錢？我都買了。」

唐天佑暗翻白眼，這就是傳說中「富家公子調戲民女」的戲碼嗎？想不到他生來油嘴滑舌，從來只有他調戲姑娘的份，今天卻淪落到女兒國給中年婦人調戲，當真是風水輪流轉，只得道：「俺頭一天擺攤，只求打響頭炮，宣傳為上，日後才有長久生意。公子買了俺的貨，不用也是浪費，還不如讓俺賣給有需要的人？」

「那我就出五十兩買下你這些貨，再分送附近諸位姐姐妹妹，如何？」

那貴公子故意揚聲道，折扇指點之處，莫不引來陣陣歡呼。唐天佑頓時氣結，心想這群騸子姑娘當真沒種，一見翩翩美男子便給豬油矇了心，渾不管誰對誰錯，反正有免費美容粉拿就什麼都好。

見唐天佑不說話，那貴公子見他不至於跟錢作對，逕自吩咐隨從過來，先把一

袋沉甸甸的銀兩給了他，然後分門別類把幾種粉一樣樣包好，旁觀的姑娘大嬸們見有便宜可撿，還不蜂擁過來搶奪，其他隨從見狀，自動自發幫唐天佑維持秩序，連這點麻煩都替他省了。

唐天佑這老闆閒在一邊沒事，只得雙手抱胸，隨口嚷道：「諸位姊妹，小心別把腳氣粉抹到臉上啊！」

那貴公子「嗤」的一笑，轉瞬搖起折扇，道：「敝姓坤，不知天朝貴人如何稱呼？」

「俺姓唐，唐朝的唐。」

「原來是唐貴人。」

唐天佑撇了撇嘴，扯出一抹客套假笑道：「貴人不敢當，我看坤公子才是富貴人，隨便出手就是幾十銀兩。」

那坤公子聞言，笑得更莫測高深，話中有話道：「貧富貴賤雖有天命，但也看人能否把握機會。」

唐天佑皺起眉頭，心想她花了五十兩買粉送人，總不會是為了跟他打啞謎，正

想說話，那坤公子又道：「我看貴人這批貨用料仔細，方子想必不錯，我們這裡有個國舅，性喜歌舞絲竹，府上養了許多姬妾，所用胭脂水粉必多，面脂面藥亦然。你不妨多做幾種花樣賣去，獲利可比擺攤好上數倍。」隨即把國舅府的路徑跟他仔細說了。

唐天佑暗暗記下，口頭卻沒有答應。那坤公子看看他，再看看推車上幾個空麻布袋，笑道：「如何？貴人明日不妨到國舅府碰碰運氣，說不定轉眼就能賺上百兩銀子呢！」然後不待唐天佑回答，揮揮衣袖，帶走一干隨從。

唐天佑一手摸摸懷裡硬梆梆的銀子，一手推著空空如也的推車離開，總覺得丈二金剛摸不著頭腦，但總算賣貨收錢，賺了一筆錢，人也沒吃虧。

隨便吃了點東西，趁天尚未黑，唐天佑絞盡腦汁挖空心思，又到藥材鋪試配幾副方子，包括髮油和幾種去疤痕面藥，都是他聽人調配過的，管不管用不知道，最少不會害人，明天去那國舅府看看，做得成生意便做，做不成見識見識，再來南門這邊擺攤就是。

宓不疑比他晚了近一個時辰回客棧，先前被幾個老朋友抓去酒樓喝得微醺，說

話有些顛顛倒倒。唐天佑扭了幾把熱毛巾給他擦臉醒酒，聽他嘟嘟噥噥，才知不少外國才俊為了爭太子妃之位，不惜紆尊降貴，改換女裝，也要少奮鬥幾十年「嫁」來女兒國，享受榮華富貴，就算入不了太子法眼，當個二王妃三王妃亦不愁吃穿。

這群候選人臥虎藏龍，恣不疑孤家寡人，唯一的優勢就是與二王子自小熟稔，但離別數年，誰知人家有沒有改變心意？於是只能唉聲嘆氣，想辦法請朋友聯絡上二王子陰鳳翾再說。

唐天佑見他如此頹喪，安慰了他幾句。順口問起女兒國是不是有個國舅，性喜歌舞，家裡十分富貴，還養了許多姬妾？恣不疑渾渾噩噩，迷迷糊糊間沒聽清他問了什麼，點頭說是，便倒在床上睡著了。

隔天一早，恣不疑宿醉不醒，鳌之僕和徐允恭仍在忙他們的生意，唐天佑閒不下來，便去藥材鋪取來幾樣試做的新產品，按著那坤公子的指點，來到國舅府，果然高門大戶，景象非凡。

唐天佑看了半天，正想找管門的通傳，管門的卻已直走出來，將他上下打量一遍，特別是他那一條油光髮辮，隨即笑意盈盈道：「這位是否天朝唐貴人？」

唐天佑不由一怔，他從小到大，還沒見過門房會對他這種賣貨郎這麼有禮貌，難不成是吃錯了藥，或是沒看過天朝上國來的人？那門房是個斑白鬍子大嬸，曖昧的笑了笑，擺出手勢請他入內，口中道：「我家主人交代了，今天唐貴人要來府裡談脂粉生意。最近國王替太子和王子們採選嬪妃，所需此貨甚多，貴人不用拘束，儘管進府聽候國舅爺傳喚便是。」

唐天佑聽得一頭霧水，要說脂粉生意，怎麼需要勞動國舅爺親身上陣？叫幾個丫鬟婆子出來，大不了寫個貨單配方，看貨給價錢便是。正猜疑間，已經被力大無窮的門房半推半拉拽進去，一同穿過幾層金門，走了許多玉路，七折八拐，來到一處偏廳。

角落香爐燃著裊裊薰香，薰得唐天佑暈陶陶的，眼皮宛若千斤墜下，一時不知今夕何夕。那嬸子一把將他按在椅子上，叫來兩個小丫鬟奉茶，把他帶來的小包袱拿走，方走去通傳。

正恍惚間，隱隱約約聽聞腳步聲傳來，然後是你一句我一句的調笑聲。

「我說舅舅前後娶了不少夫人，有武功高強的俠女、有飽讀詩書的才女、也有

溫柔婉約的花魁妓女，這回連天朝上國來的姑娘都給妳迷倒，本太子真真甘拜下風，自愧不如。」

「賢姪可別說笑，愚舅我年過四十，早修心養性，家中十三位夫人日日你吵我鬧，已足我消受，怎還敢輕舉妄動？我看他年紀輕輕，出落得白嫩好皮相，兼且口才伶俐，正好在賢姪身邊伺候跑腿，賢姪若覺合意則留，不合則去，給他一點錢封口，也沒什麼損失。」

「可惜父王最近纏綿病榻，不然送他到御前給父王說些天朝故事解悶也好。」

「我這做弟弟的若再往姊夫後宮裡塞女人，王后姊姊恐怕就要大發嬌嗔，拿家法伺候我了。」

「送給丈夫不行，送給兒子就行了？」

「哈哈！姊夫喜歡的是孔武有力的婦人，賢姪愛的是這等細皮白肉的女子，我怎麼不知道？」

「孔武有力……就像寶貴妃那般肌肉糾結的模樣嗎？」

「這我可沒說過哪！」

兩道聲音一前一後，前者稍微低沉，後者稍微上揚，說笑間帶有風月之意，十分輕佻。唐天佑聽得不清不楚，只覺耳邊嗡嗡作響，勉強睜開眼睛，只覺眼前朦朧一片，隱約聽見兩個婢女下跪叩拜道：

「奴婢參見太子爺、參見國舅爺。」

「嗯，你們先下去吧！」

竟是國舅爺和太子來了？唐天佑甩了甩頭，坐直身體。國舅和太子相視一笑，前者從袖裡拿出一個小瓶，在他鼻下晃了一晃，道：「我給他聞了些軟筋散，免得他衝撞太子殿下。」

「原來天朝女子，也就是剃光半邊頭，綁條麻花辮，其餘無甚差別嘛！」

太子說著上前，食中二指一勾，將他的下巴勾至面前仔細端詳。唐天佑猛然被刺鼻的樟腦味薰醒，便見一個紫衣女子和他面對面，嫣紅雙唇近不過寸許，拇指還在他臉頰上摸啊摸的，身上傳來的濃郁香氣嗆得他直想咳嗽，想逃卻覺手腳酸軟無力，臉倒先不爭氣的紅了。

「唷唷，還會臉紅呢！敢情沒給人碰過？給爺笑一個？」

唐天佑哪笑得出來，不哭出來就不錯了。那女兒國太子看他手足無措的模樣，倒是興致盎然，放下摸臉的手，退開兩步，眸光在他胸膛下腹之間流轉，十指魔爪尖尖，也不知接下來想摸哪裡。

唐天佑面對這陣仗，一時不知所措，只能連連眨著水汪汪的眼盯著她。國舅看得忍不住笑了，對她姪兒道：「賢姪，這天朝姑娘姓唐，雖然在外拋頭露面，也是清白門戶出身，別拿秦樓楚館的風流招數把人家嚇壞了。」

「瞧我猴急的。」太子雖是女身，行為舉止卻與慣走青樓的花花公子無異，於是笑著收回魔爪，朝國舅道：「唐姑娘果然就如舅舅所言，麗質天生，羞中帶俏，讓姪兒不忍釋手。只不過他一身男裝，髻無珠翠、耳無環璫，一雙大腳更是掃興，可要好好打扮了，再送入我太子東宮，封他貴人之號，共享榮華富貴。」

「這個自然，賢姪若有吩咐，愚舅自是不惜千金脂粉錢，將佳人裝扮得有如月裡天仙美嫦娥，否則姊姊、姊夫怪我找個村姑愚婦搪塞哩！」那國舅笑得風流倜儻，想來因兩人成其好事，十分歡喜，便轉對唐天佑道：「天朝來的唐姑娘，還不叩謝太子殿下恩典？」

唐天佑全身提不起一絲氣力，就算身懷躡空本領亦枉然。只能呆坐聽兩人若無其事商量要封他什麼貴人、穿他幾個耳洞、一雙大腳要纏成怎麼的新月弓型才美，聽得他是汗流浹背，好半晌才找回自己的聲音。

「原來妳……妳是那坤公子？妳就是女兒國的國舅？」

「不錯，我就是坤國舅。昨日微服出遊，有幸得遇唐姑娘，做了這樁大好姻緣的媒人。」坤國舅從袖裡滑出她的招牌折扇，自鳴得意道。

唐天佑這下才明白自己落入坤國舅的陷阱之中，還來不及計較，便又手指太子道：「妳是太子……就是那個要選妃的太子？叫陰……陰什麼鳳翔的對不！」

「大膽！竟敢直呼太子名諱！」

陰鳳翔抬手阻止國舅喝叱，笑瞇瞇嬌聲道：「美人兒，我知你不甘心，雖然做不了正宮王妃，但只要討得本太子歡心，總少不了幾十年富貴，可比你賣胭脂水粉的好得多哪！」

唐天佑賞她一雙白眼，只覺噁心非常，叫道：「我……我堂堂男子漢，才不要做妳女兒國的妃子！」

太子瞇眼細看著唐天佑，唐天佑肉在砧板上，可說是色厲內荏，被她看得有些心怯，但還是勉強自己與她對視，愈看愈是覺得這太子的美貌夾雜一股邪氣，一雙眼睛斜斜上吊，竟有幾分狐狸算計獵物的狡詐——

「恐怕由不得你唷！」太子挑了挑斜長的鳳眼，促狹似的摸了摸他的鬢角，方轉身離開，帶起一股甜膩香風。

未知貴人如何，下回分曉

第六回

粉面郎穿耳纏足
眾良友籌謀畫策

「荒唐，你這是敬酒不吃吃罰酒！」

坤國舅冷哼一聲，跟隨太子消逝的衣袂而去。唐天佑給這一大一小兩個女色鬼搞得頭疼欲裂，站起身，才想溜之大吉，馬上來了兩個身高體壯，滿臉髫鬚的中年僕婦，宛如鷹拿燕雀，一左一右把他提了起來。唐天佑身上的軟筋散藥效未退，手軟腳軟，只能任由他們擺布。來到內室，兩個僕婦把他「放」在圈椅上，接著有小丫鬟送來一整桌酒菜，恭候一旁等他開動。

唐天佑何來胃口？正想發作，僕婦便搶先道：「貴人莫要使性子為難自己，國舅已吩咐下來，貴人若一頓不吃，便要餓三頓才有得吃，連累奴婢一同與您捱餓。您就行行好，隨便吃幾口，再讓奴婢服侍您上床歇息。」

唐天佑嚇得連打冷顫，道：「我吃、我吃，不必你服侍我上床。」

兩個小丫鬟掩嘴一笑，兩個僕婦面不改容，只盯著他有沒有把飯菜吃下肚裡。唐天佑有一口沒一口的吃著，暗自著急，心想這飯菜若也加了軟筋散，豈不是愈吃愈軟，一輩子都離不開這鬼國舅府了？

吃了半刻，外頭又走進一個僕婦，與同伴交頭接耳，三人會心一笑，靜待他吃得

七七八八，收去碗筷，兩個小丫鬟隨即把他挾到床上，唐天佑未及呼叫，只聽外頭吵吵鬧鬧，忽來許多丫鬟僕婦朝他叩頭道喜，口呼「貴人」，兼且手捧各色鳳冠霞帔、玉帶蟒衫，還有裙褲簪環首飾之類，不由分說，七手八腳把他內外衣服脫得乾乾淨淨。

這些僕婦都是長鬚粗眉，力大無窮，就算唐天佑沒中軟筋散的毒，也敵不過他們一輪蹂躪。於是才把衣衫脫淨，早有丫鬟準備香湯，替他洗浴。幾個丫鬟輪流幫他揩抹一陣，又來幾個僕婦替他換穿褻褲衫裙，把一雙「大金蓮」暫且穿了綾襪，並把他辮子打散，抹了許多頭油，前額加上假髮遮掩，梳成高髻，插上鳳釵步搖。隨即又來丫鬟替他擦了一臉香粉，並把嘴唇染得通紅，手上戴了戒指，腕上戴了金鐲，且把床帳安了，一副就要洞房的模樣。

給他們舞了一陣，唐天佑倒像作夢一般，又像酒醉光景，恍恍惚惚問道：「你們……你們這都是怎的？」

正在著慌，門外走來一個白鬚僕婦，手拿針線包，淡淡道：「恭喜貴人，貴人多福多壽，宗人府將擇吉日恩封貴人為良娣[1]，送入太子宮中伺候。」

「……入宮伺候？你們女兒國太子說封就封的嗎？就連戲曲小說皇上賜婚，都

得先問問人家的意願吧？」

「宗人令[2]便是我們坤國舅，國舅與太子說了便是。」

白鬚僕婦不慍不火道，眼神炯炯，手拿針線愈走愈近。唐天佑心想這些人根本就是一丘之貉、為虎作倀，都是來推他入陷阱的，明知說了無用，也懶得再說，只是一味掙扎，不肯輕易就範。

「稟告貴人，奴婢奉命穿耳。」

白鬚僕婦走到床前跪下，暗使眼色，立時有四個丫鬟搶上，緊緊扶住唐天佑的手手腳腳，那白鬚僕婦上前，先把右耳用指將那穿針之處捻了幾捻，捻得甚紅後，登時手起針落，痛得唐天佑大叫一聲，往後便仰，幸虧幾個丫鬟扶死，接著又把左耳捻了幾捻，也是一針直過。

「疼煞俺了——」

唐天佑痛得喊叫連聲，白鬚僕婦卻沒閒情管他，把他兩耳穿完，用些鉛粉塗過止血，戴了一副八寶金環，直有三寸多長，扯得他劇痛連心，眼淚不住從眼眶裡擠出來。

「稟告貴人，奴婢奉命纏腳。」

俗云「前門有狼，後門有虎」，用在現時的唐天佑身上恰好不過，只見跟前才走了一個白鬟僕婦，又來一個黑鬟僕婦，聲音有如太監刺耳，手中拿著一匹白綾，向床前跪下稟告。丫鬟隨即取來矮凳給他坐下，並且拿起唐天佑的一雙「金蓮」，把剛才穿上的綾襪脫去。唐天佑猛然察覺大禍臨頭，叫道：「不要啊！」

那黑鬟僕婦亦無理會，逕自將白綾唰地從中撕開，先把唐天佑的右足放在自己膝蓋上，用些白礬灑在腳縫裡，再把五根腳趾緊緊捏攏，腳面用力曲做彎弓一般，便用白綾狠纏。才纏了兩層，白鬟僕婦又拿來針線密密縫口，這樣一面狠纏，一面密縫，唐天佑只覺雙腳如炭火燒炙一般，既痛又辣，別說躡空，就連走路都成問題。

唐天佑身旁有四個丫鬟緊緊抓牢，又被黑白二僕婦拿住雙腳，絲毫動彈不得，等到不知纏了十幾層，雙腳已然痛得麻木，不由得一陣心酸，抽抽噎噎哭了起來。然

1 良娣：古代太子姬妾的封號，位在妃下。

2 宗人令：管理皇室宗族事務的機構稱宗人府，始建於明代，負責長官稱宗人令，由皇室尊親擔任。

那些丫鬟僕婦都是鐵石心腸，一律充耳不聞，取來一雙新做好的新月軟底紅緞鞋給他穿上，秀眉微蹙，儼然便是個嬌怯怯的美女，其痛苦神色更不是裝出來的。

唐天佑忍了半天，左思右想，無計可施，只得收起眼淚，央求道：「俺從天朝上國來此，蓬萊仙翁且有任務交代給俺，尚未完成。求求各位姐姐轉告國舅一聲，莫要拿俺作耍，早早放俺出去。」言畢，黑白二僕婦齊聲答道：「太子與國舅業已吩咐，將腳纏好，打扮停當，便請貴人入宮，此時誰敢胡言亂語？」

見他們拒不通傳，唐天佑拿他們沒有辦法，咬牙抿唇，便想方設法折騰他們。先是叫嚷一陣，十分口渴，要丫鬟送來茶水，喝了茶水，一時忽要小解，眾丫鬟拿來淨桶，扶他下來坐上淨桶，他又說尿不出，丫鬟捧來熱水給他洗手，他又一手打翻，弄得滿地狼籍，眾丫鬟連忙收拾。

薑是老的辣，黑白二僕婦知他故意玩花樣，遂古怪笑道：「小解後，還請貴人用水。」

「俺才洗手，為什麼又要用水？」

「不是洗手，是『下面』用水。」

「怎麼叫做『下面』用水？俺從來未聽說過。」

黑鬚僕婦解釋道：「貴人剛從何處小解，便從何處用水。若怕動手，便讓奴婢替洗吧！」白鬚僕婦與他一搭一唱，前者替他解褪中衣，後者用大紅綾帕沾水，魔爪伸來，便在他下身亂擦一通。

唐天佑給他擦得奇癢，臉紅得像熟透蝦子，只得求饒道：「好了好了，我不玩了，你們統統下去吧，我要睡覺！」

白鬚僕婦擱下紅綾帕，若無其事道：「貴人既覺身倦，就請盥洗安歇吧！」才說著，眾丫鬟一陣哄亂，有拿燭臺的，有拿痰盂的，也有拿臉巾面盆的，也有捧銅鏡的，亂亂紛紛圍在床前，虧得唐天佑一一應酬過，最後黑鬚僕婦拿來粉盒，道：「奴婢聽聞，貴人亦是做脂粉生意的，該知道臨睡擦粉最能白潤皮膚。咱王侯家的粉更是講究，內多冰麝[3]，貴人面上雖白，還欠香氣，所以這粉是不可少的。久久擦上，不但面如白玉，還從白色中透出一股肉香，真是愈白愈香，愈香愈白，令人愈聞愈愛，

3 冰麝：冰片與麝香，皆是名貴的中藥材。

愈愛愈聞——等貴人以後討得太子歡心，才知其中好處哩！」

唐天佑給他香香白白說了一輪，哪裡肯聽，只不住惡聲惡氣罵道：「誰要討那鬼太子歡心！俺說不擦就不擦！」

白鬚僕婦聞言，頓時擺起臉色道：「貴人如此任性，我們只好據實稟告國舅，請保母過來，再作道理。」登時率隊離開，走之前不忘將四周窗門反鎖上栓，料唐天佑插翅也難飛。

唐天佑輾轉反側，心亂如麻，哪裡能睡？到了夜間，被裹得骨折的兩腳，更是痛徹心腑，一時怒從心起，憑著蠻力，將白綾左撕右解，費盡力氣才盡數解下，十根腳趾隻隻舒開，好不鬆動，心中一爽，倦意頓時布滿全身，終於雙眼一閉，沉沉睡去。

次日起床，唐天佑還睡眼朦朧時，那黑鬚僕婦便來請安，見他兩足脫得精光，連忙稟告國舅，叫來平日負責管束國舅姬妾的保母，前去重責二十，以資懲戒。那保母得令，捧了一塊三寸寬、八尺長的竹板，帶了四個手下，來到唐天佑的居室，躬身道：「貴人不遵約束，奉令打肉二十板。」

唐天佑一看那長板子，便嚇得頭暈，若招呼到他尊臀之上，還不屁股開花？剛站起身想逃，奈何雙腳纏得酸痛無力，腳步一絆，轉眼坐倒床上，四個手下大步上前脫翻他中衣，等著保母手持竹板步步逼近……

❀

話分兩頭，唐天佑這廂大禍臨頭，那廂鼇之僕、徐允恭、宓不疑等人，見他徹夜不歸，急得如熱鍋螞蟻，四更起身提著燈籠找尋，天亮又到南門市場，四處打聽他的下落。有人說唐天佑能言善道，日前有個富貴客人花五十兩買下他全部貨物，分送給姑娘們。有人說他的洗臉粉、敷臉粉十分好用，想找他買卻找不到人云云。

「哎呀，天佑該不會是收了錢，被拖到暗巷搶劫吧？還是兩面國那幫強盜尋仇來了？怎麼辦，要去報官嗎？不過天佑他有絕技傍身，應不至於跑不掉吧？」

鼇之僕在橋頭飄來飄去探問，右拳連連敲著左掌，看來十分焦急。徐允恭亦難掩眉間憂色，倒是宓不疑問了幾個姑娘之後，突然呆立橋頭不動，轉問徐允恭道：「徐兄，剛才那位姑娘是說，買了天佑所有貨物那個人，自稱姓坤嗎？」

「不錯，姓坤，是個中年『男子』，相貌俊秀，舉止斯文，手拿一把折扇。」

徐允恭點頭道。

「糟了，天佑該不會是落到坤國舅手上吧？我……我記得他好像問過我，說女兒國是否有個姓坤的國舅，家裡養了許多姬妾，十分富貴……」宓不疑自言自語，不住原地踏步，努力回想唐天佑當時說過的話，可惜當時醉過了頭，只依稀記得有這麼一件事。

「坤國舅是誰？」

「救誰？難道綁匪來要贖金了嗎？」

徐允恭和鼇之僕前言不對後語，想來是緊張過度，宓不疑有口難言，沉吟半晌道：「非也非也，唉……我們找個地方坐下再說。」

兩人跟著宓不疑往小巷走，來到一處冷清的小店，老闆正在打瞌睡，幾人隨便坐下，但聽宓不疑低聲道：「坤國舅乃是當今女兒國坤王后的弟弟——照咱們來看是妹妹——唉，總之她風流倜儻，她……她最著名的『事蹟』，便是……便是幾年前玉成寶貴妃和國王的一段姻緣。」

「怎麼她身為國舅，還替自家姊姊在後宮樹立情敵，豈不自打嘴巴？」鳌之僕奇哉，忞不疑支吾其詞，想了半天，才盡量婉轉的解釋。

原來那寶貴妃原名馬小寶，生來一副好相貌好體格，卻不學無術，在南門市場擺攤叫賣假藥大力丸騙人。一日，遇上微服逛街的坤國舅，兩人眉來眼去，你情我願，坤國舅便把他帶回國舅府，收為近身親隨，實為愛妾。不久國舅赴宴，國王竟也看上這個親隨，開口向國舅索要，國舅既心疼又無奈，拖延三天，據說兩人在國舅府門前灑淚作別，國王聞訊，遣使送來十斛珍珠，封國舅義妹馬小寶為寶貴妃，才平息一場風波。

最後賣大力丸的騙子進宮成了寶貴妃，女兒國人暗地笑稱他是「大力貴妃」，最新的傳言是寶貴妃趁國王病中，與國舅舊情復燃，兩人打得火熱。若唐天佑也被如法炮製，恐怕從此一入侯門深似海，難以重出生天。

鳌之僕聽得傻眼，也跟著結巴起來，「所以……那國舅爺逛市場原是為了物色對象，替女王……拉皮條？天啊！天佑該不會……」

「天佑相貌清秀，能言善道，若那國舅起了邪心，假借買貨看貨之名，誆騙天

佑至國舅府，事情就難辦了。」徐允恭皺起眉頭，把鼇之僕心裡想的都說了出來。

「希望是我多慮，唉！」宓不疑嘆道。

幾人拼拼湊湊，雖不中亦不遠矣，但猜得出大概，不表示想得出解決辦法。想了半天，鼇之僕率先問道：「天佑身為仙翁高徒，懂得躡空之法，說不定可以趁夜跳過國舅府高牆？」

「國舅府門禁森嚴，天佑雙拳難敵四手，恐怕……」宓不疑不表樂觀，徐允恭試探問道：「宓先生在女兒國或有舊識，能否請他們代為探聽一二？」

「鄙人亦是如此打算，我們這就先去國舅府打探。我再修書一封，上呈衙門報告。再不濟，便找二王子，請她幫忙訪查。」宓不疑拍桌起立，下定決心道。

「哎哎，天佑說他練的是童子功，希望不要被迫失身哪！否則躡空術還不知施展得出不？」鼇之僕嘆氣，合掌向天祈禱。

不知唐天佑如何，下回分曉。

第七回

道內幕孟芸芝猶疑
入深宮宓不疑涉險

那保母手持竹板，一起一落，竟往唐天佑光裸的屁股大腿打去，打了兩下，唐天佑殺豬似的痛叫兩聲，尊臀業已皮開肉綻。那保母舔了舔唇，第三板正要落下，便聽外頭傳來一聲嬌叱。

「且慢！」

保母一愣回首，門在此時敞開，走進一個青袍官人，鳳目環顧室內，接著從袖中抽出一道諭令，十來個丫鬟僕婦見狀，頓時紛紛跪下，聽她宣讀。

「傳太子口諭，著貴人唐氏即日入宮，參與月底的選妃大典，不得有誤。」

「奴婢遵命。」

那官人冷著臉捲起諭令，但看保母手上的竹板，光著屁股趴在床上哎哎叫的唐天佑，便知發生什麼事，若非她及時前來，唐天佑不知會被虐待成什麼樣子。

「芸詹事，怎麼就勞動您親自前來？」那保母銜著笑恭敬問候，詹事是太子東宮諸官屬之長，由國王親自指派，這位芸詹事姓孟，名芸芝，出身官宦之家，父親是女兒國的老翰林[1]，其手足紫芝、蘭芝、華芝、玉芝、瑤芝、芳芝、瓊芝等都在宮內為官。由於太子與國舅往來密切，國舅府中的丫鬟僕婦大半都認得她。

「太子有命，本官自然就得奉命前來。」見唐天佑還光著屁股趴在床上，芸詹事略顯尷尬的清清喉嚨，「你們……你們先把褲子給貴人穿上，看他傷勢如何，再來說話。」

「唉唷喂呀！痛死我了啊！俺一定要跟太子爺告狀！叫你們這些保母丫鬟也給板子打一打！」唐天佑叫了半天，發現有人來救他，自然叫得更是大聲，拿著雞毛當令箭，以彰顯保母的狠心辣手。

兩個丫鬟連忙過去檢查傷勢，道：「稟告詹事，貴人肌膚細嫩，才打兩板，已經血肉模糊……」

「老身這就去取棒瘡藥過來給貴人敷上，免得貴體受傷，一時難癒，誤了進宮吉時。」那保母說著，匆匆去了，幾個丫鬟且說要熬人參湯給貴人補身，房裡閒雜人等頓時鳥獸散，一時僅餘他倆在房內。

孟芸芝見唐天佑已經把褲子穿上，便走到床邊，勸說道：「貴人若早早謹遵約

---

1 翰林：皇帝的文學侍從，掌管起草詔令。

束，可免皮肉之苦。」

唐天佑半趴在床上，也不知孟芸芝是何模樣，但聽她來勸說，便把她當作太子一路人，逕喋喋不休罵道：「俺兩腳是無拘無束慣的了，俺更不是你們女兒國人，只不過行商路過，你們國舅把我騙進府，硬當我是女子送給太子，還給我裹腳，俺若乖乖給你們裹金蓮，還算是個男子漢嗎？」

孟芸芝聞言一愣，顯然不知內情，道：「國舅說你是她的外甥女，本是來參與此回太子選妃……」

「選她的死人頭！誰要給那太子做妃！快放我出去！」

孟芸芝還待再問，適才那保母和手下已然取了棒瘡藥回來，讓她只好改口道：「貴人已然立誓改過，你們快給他敷上傷藥，雙腳重新裹好，好生伺候，免得太子怪罪下來，你我都要遭殃。」

那保母唯唯稱是，唐天佑本想還嘴怒罵，但又怕打，只得作罷，放任那些丫鬟僕婦給他灌參湯、敷傷藥。

一番整治之後，到了下午，黑鬚僕婦先以猴骨酒薰洗他雙足，使其酸軟無力，

再把白綾重新纏好，教他下床來回走動。走了幾步，唐天佑只覺兩腳酸痛麻痺樣樣兼具，想要坐下，又怕碰到棒瘡傷處，黑鬚僕婦怕誤了入宮吉時，毫不放鬆，這樣走也不是，坐也不是，弄了半天，真如搏命而行，幸虧此時傳來通報，唐天佑才得脫離黑白二僕婦的魔爪，投奔孟芸芝的馬車進宮。

雖說是從一個虎穴到另一個虎穴，但能暫時喘一口氣，擺脫那些滿臉鬍鬚的丫鬟僕婦欺壓，勉強算是一件好事。唐天佑與孟芸芝在車廂內面對面而坐，才發現這位太子詹事生就一雙翦水雙瞳，兩道彎彎柳葉眉，活生生是個娉婷美女，可惜穿了一身女兒國的青色圓領官服，減去幾分秀色，但還是看得唐天佑目不轉睛。

「貴人在看什麼？」

「沒事，不過馬車顛得俺屁股有點痛，只能盯著天花板看，轉移注意力。」唐天佑半坐半側躺在馬車座位上，呵呵笑道。

孟芸芝看看天花板，然後把背後兩塊軟墊給他墊在身後，乘機低聲問道：「貴人別無親人在女兒國嗎？」

耳聞吐氣如蘭，唐天佑不禁暈頭轉向，深呼吸兩下，才道：「俺在這裡沒有親

人，但有幾位朋友，他們不知我被國舅騙來這裡，現在可能在哪裡找我吧？唉！」

孟芸芝跟著嘆口氣，眼露同情，坐回自己的位置，顯然愛莫能助。唐天佑見她不像其他人一樣盲從太子和國舅，便小心翼翼開口問道：「芸詹事……他們是這樣叫妳的吧？你們女兒國太子經常這樣……嗯，強搶民女嗎？」

孟芸芝粉臉微紅，別過頭佯裝看風景，輕聲道：「太子以前不是這樣的，自從幾年前國王臥病在床，她才……她才如此肆意妄為，幾位太師、少保、少傅[2]與我都勸諫過她。所以國王雖在病中，亦託國舅主持，公開為太子甄選妃妾，希望太子可以收心養性。」

看來這東宮官人對太子的行徑十分不以為然。唐天佑心想，坤國舅品行尚且如此，上梁不正下梁歪，選出來的太子妃說不定也是兇殘跋扈，嫉妒起來會把情敵抓起來砍手砍腳。他唐天佑一無身家二無背景，到時候可真是叫天不應叫地不靈，一條性命隨時葬送在女兒國。

「唉，俺活了十六七年，尚未娶妻，難道一生幸福就要葬送在太子這『假男人』手中？」唐天佑以手撐頭，一副西子捧心狀靠在軟墊上，想了半天，忽然靈機一動，

道：「芸詹事，俺看妳不似國舅爺那般沒良心，可否幫我勸勸太子，別讓那些鬍鬚宮女給俺裹腳？俺從小喜歡四處走，若裹了腳，跟砍了腳有什麼兩樣？」

其實唐天佑心裡想的是，一旦不裹腳，他的躡空之術便派得上用場，說不定能乘其不備一躍而出。

孟芸芝搖搖頭，「難矣，敝國向來以女子纏足為美，通常七八歲時由母親動手替女兒纏，纏得愈是緊窄愈好，且痛得夜不成寐，食不下咽，甚至皮肉腐敗，鮮血淋漓，種種疾病由此而生。」

「那些母親都不心疼的嗎？」

唐天佑失望之餘，不由得問道。畢竟自己才纏了半個晚上，便覺痛不欲生，何況是經年累月的纏，纏到兩腳成了枯骨，血肉化成膿水。

「母親狠下心充耳不聞，也只為女兒將來能嫁個好人家。」

---

2 太子太師、太子太傅、太子太保、太子少師、太子少保、太子少傅皆是官職名，同稱「東宮六傅」，分別教授太子讀書習武，並保護其安全，後來成為虛銜。

「我才不想娶裹小腳的女人呢！走起路屁股扭啊扭的，像大冬瓜似的。」唐天佑哼道，以他天朝男子漢的口吻批評，說著忍不住去扯自己的裹腳布，心想這大腳若被裹得斷折兩半，他這輩子就別再想遊山玩水了。

這也難怪唐天佑不瞭解，他的母親出身農家，生就大腳一雙，無論耕田打水，動作都十分俐落，後來見到周家那些姨奶奶小腳尖尖，腳步宛如弱柳扶風，出入皆須婢女攙扶，只覺她們有如殘廢，更別說娶回家當菩薩供著。

孟芸芝給他逗笑，忍不住還嘴道：「敝國這纏腳風俗，也是從天朝傳過來的，要怪，也得怪貴國祖宗才是。」

「反正我不喜歡裹小腳的女人。」唐天佑再次強調，但見孟芸芝和藹可親，忍不住繼續探問道：「等一下進宮，就要去見太子了嗎？」他可不想這麼快就被色狼太子生吞活剝啊！

「這幾天太子與國舅忙於選妃大典，貴人想必要等到太子大婚時，與其他中選者一起入宮。」

唐天佑暗翻白眼，敢情這太子胃口甚好，正妃側妃侍妾一起弄進宮，說不定沒

那麼快顧得上他，若有幾天緩衝時間，他說不定可以聯絡上宓不疑那位老相好二王子陰鳳翾，請她幫忙把自己弄出去。

「原來不是一進宮就要洞房！」

唐天佑不禁喜形於色，撫掌而笑。孟芸芝雖不苟同太子的行徑，仍忍不住啐道：「貴人還是顧好您的雙腳吧！」

馬車轆轆駛向宮中，幸好就如孟芸芝所言，唐天佑入宮之後，和其他來女兒國選妃的「各國佳麗」一起，被安排在鴻臚寺[3]內，雖有保母宮女看守，卻不如國舅府內嚴謹，只求他們不要亂跑便罷。

為了避免裹腳之苦，唐天佑竟異想天開，拿來張紙，照印象畫出滿族女子常穿「花盆底」高鞋的模樣，說這才是當今天朝大清國最流行的款式，只有皇宮貴族婦女才有資格穿著。畢竟對唐天佑來說，像滿族女子長著一雙天足，踩著高三寸的花盆底鞋扭來扭去的走，總比漢女把腳骨根根折斷，塞進三寸的金蓮小鞋要好。

3 鴻臚寺：古官署名，主掌接待外國賓客事宜。

把圖交給孟芸芝之後，女兒國工匠不久便送來一雙仿造的花盆底鞋，鞋尖還別出心裁的縫上一束流蘇。唐天佑故作婀娜多姿的穿起高鞋，捏著錦帕，學那些滿族姑奶奶搖來擺去，一副顧盼風流的樣子。消息輾轉傳到太子處，太子亦十分歡欣，認為唐天佑終於「想開了」，懂得想方設法討好自己，因此恩准他不必裹腳，畢竟東宮裡裹腳的女人太多，來個清國大腳唐貴人，總算別樹一幟。消息傳出，宮裡宮外鬧鬧哄哄，紛紛要學做這新式鞋樣，唐天佑只希望釐之僕他們也能聞得消息，想辦法與他聯絡。

雖然暫免裹腳之患，但拜國舅府翦鬟僕婦所賜，他的腳仍腫得跟豬蹄一樣，酸軟無力，瘀青處處，腳趾骨也給纏斷幾根，穿上花盆底鞋強顏歡笑一陣，便痛得要坐下擦藥油消腫，只盼太子對他放下戒心，等腳傷好得差不多，便說要逛花園遊假山什麼，伺機逃離這裡。

安頓下來後，唐天佑為免那些丫鬟囉唆，一心任由他們給自己化妝、修眉、擦頭油、洗香湯，幾天過去，身上已然滑膩如凝脂，兩道濃眉也修得如彎彎新月，插上珠釵、戴上耳墜，自己照鏡也覺不似本來面目，倒比家鄉兩個嫂嫂美上幾分。太子不時派孟芸芝來看，他也表現出順服樣子，虛與委蛇一番，唯孟芸芝狐疑以對。

一天晚上，唐天佑洗完香薰澡，揮去一干宮女，正在被窩裡給一雙腳擦藥油，只聽門外幾個宮女招呼道：「芸詹事、芳典簿[4]，何事勞駕您兩位？」

唐天佑停下擦藥油的手，側耳細聽，只聞孟芸芝的聲音道：「太子為唐貴人新做一襲錦袍，準備晉見國王時穿著，我先拿來給貴人試試尺寸。二王子有幾本書冊送給貴人解悶，芳典簿便跟我一起過來了。」

聽得宓不疑的老相好二王子派人要送他書，唐天佑的精神便來了，心想會不會是宓不疑託她傳來什麼消息，夾在書冊之類，正想起身，轉念想最好別表現出猴急模樣，便懶洋洋道：「這麼晚了，誰啊？」

「啟稟貴人，是芸詹事與二王子那裡的芳典簿來了。」

兩個丫鬟分別捧著衣物書冊，跟著孟芸芝和孟芳芝進來，孟芳芝使個眼色，兩個丫鬟便放下東西，順手把門關上，行動神色俱有些詭異。

唐天佑掀開繡被，穿了雙軟鞋，走到桌前坐下。奇怪的是，兩個丫鬟也跟著坐

4 詹事、典簿：主掌文書的官僚。

下，反而是孟芸芝和孟芳芝兩姊妹站到角落，盯著他們三個人瞧。

「天佑，是我啊！」

丫鬟之一抬起頭來，湊到唐天佑身邊低聲道。唐天佑定睛注視，但看這人敷粉塗朱，卻是宓不疑喬裝成女子來著。唐天佑還不及反應，宓不疑便指著旁邊那個戴著小圓眼鏡的丫鬟道：「這位便是我與你提過的女兒國二王子陰鳳翾。」

陰鳳翾和其兄一樣長著一雙鳳眼，戴起小圓眼鏡，顯得眼睛更小，只見她朝唐天佑點點頭，唐天佑吃了一驚，連忙拱手還禮，道：「原來是二王子。」

陰鳳翾向他比個噤聲的手勢，一旁的孟芸芝故意高聲道：「二王子煞是有心，這些書冊，都是有關我女兒國風土民情，貴人想必十分喜歡。」

孟芳芝身為陰鳳翾的屬官，自然跟著補救道：「唐貴人遠從天朝清國而來，想必希望多多瞭解女兒國，在下代表二王子送來書冊，不過盡本分而已。」

「是啊是啊，感謝二王子的書——啊，看完書不如來試試新衣服吧！太子真是貼心啊！連俺喜歡紅色她都知道。」唐天佑跟著附和道。

宓不疑對他眨了眨眼，悄聲道：「唉，唐兄弟，你都不知道我們找你找得有多

苦！」

「我想你們也想得很苦啊！那坤國舅把我騙進國舅府裡，用什麼軟筋散把我迷得渾身脫力，接著拿白綾狠命裹腳，十根腳趾纏斷了五根，痛得我哪兒都去不了，後來被這位芸詹事送進宮裡，變了許多花樣，才免去裹腳之苦。」唐天佑手指猶然腫痛的腳，再指著孟芸芝說道。

宓不疑拍拍他肩，道：「只怪我當時醉昏頭了，沒提醒你坤國舅的為人。我跟鼇大人、允恭他們問來問去，好不容易輾轉問到國舅府內使，才知國舅因看貨看得歡喜，把你留在府中，纏腳換裝，準備獻給太子為妾，就等吉日入宮。我們千懇萬求，說願意以絲綢珠寶贖你出來，那內使只是不肯。後來鄙人寫了幾張哀憐文稿遞至衙門，衙門也是裝聾作啞。好不容易與二王子聯絡上，知道你在宮中，奈何想不出法子救你出去，只好由鄙人先喬裝入宮，過來看看你。」

兩人欷歔一陣，唐天佑知道宓不疑等人使盡方法救他，為之感動不已，想起這幾天的遭遇，眼眶頓時紅了。二王子陰鳳翾乾咳兩聲，提醒他們別太過忘情，隨即道：「王兄近年性情大變，倒行逆施，如今父王病重，更是無所顧忌。……唉！不久

前，只因犬封國御廚做的飯菜口味不合心意，王兄便下令將御廚處死，犬封國人統統驅逐出境，幾位老臣上言勸諫，王兄反而發了一頓脾氣，說他們小題大作。」

「小題大作的是她吧……」唐天佑咕噥道，心臟驟然突突幾跳，想起太子那活似狐狸般的瓜子臉、丹鳳眼，又為了小事把犬封國的狗頭廚師處死，犬封國人統統驅逐出境，這不是討厭狗的狐狸是什麼？

「那個……二王子，我想問太子這幾年除了性情大變，還突然多了什麼奇怪的習慣嗎？例如變得愛吃生雞蛋、雞肉？討厭狗？或是晚上才出來行動？身上有一股狐臊味？」

唐天佑問了幾個怪問題，都是些狐狸習性，想來是懷疑太子陰鳳翔性情大變，與心月狐附身有關。陰鳳翾皺眉道：「貴人的意思是，王兄是因為討厭狗，才找藉口把犬封國人趕走？」

「俺是懷疑……嗯，懷疑太子被妖魔附身……」唐天佑頓了頓，不知應否把心月狐之事說出。陰鳳翾看他支吾，便轉向孟芸芝道：「芸詹事，妳在太子跟前伺候多年，可知太子可有貴人說的這些異狀？」

孟芸芝一愣，半晌道：「啟稟二王子，若說異狀，太子她……近年每天一早，都要喝一杯生雞蛋和蜂蜜調成的飲料，說是美容養顏。夜半衛兵帶著惡犬巡邏，亦不許靠近太子東宮一步，曾經有一隻大狗誤追鳥雀闖入，那負責拴狗的衛兵就被太子下令處決了……」

孟芸芝住口不談，想來是不願詆毀太子。孟芳芝看看她，又看看二王子，陰鳳翾示意直說無妨，她才道：「二王子，據我家大哥說，近年東宮的香料用量是往常的數倍，花費甚大，似乎是因為太子體有狐臭，久治不癒，衣被床褥日日多次薰香之故……」

孟家老大孟紫芝總管後宮出納，最是瞭解這些瑣事，從她口中得來的情報不會有誤。

難怪那太子薰香薰得整個人像從香花堆裡撈出來似的，唐天佑正考慮要不要把自己承南極仙翁找心月狐的任務道出之際，宓不疑已然自動自發湊到心上人身邊，與她耳語幾句，只見陰鳳翾的臉色變了幾變，想必已得知唐天佑的來歷，隨即道：「貴人難不成是懷疑王兄被狐妖附身？」

這回換唐天佑食指直舉，向她比出「噓」的手勢。孟芸芝與孟芳芝同時色變，自從國王臥病，太子監國，女兒國的國政便操縱在太子手中，王后向來縱容太子，國

舅也一心討她歡心，朝中大臣更無人管束得了她，任她肆意妄為，如此儲君，包括孟老翰林在內的有識之士皆憂心不已，加上近年水患連連，若非國庫盈餘仍足以開倉救濟民眾，恐怕早已釀成禍亂。

唐天佑此時卻猶疑了，如果心月狐當真附身太子，他就算能施展躡空術，也得放棄逃跑的計畫，繼續留在宮中，伺機而動，最好趁和太子單獨相處的時候，拿出天雷符整治狐妖，完成南極仙翁交代的任務。但這麼做的風險太大，萬一他敵不過心月狐的高強法力，被宰了或怎麼了，豈不一失足成千古恨？他還是貨真價實的處男啊！

「據令師所言，被狐狸附身者，除了先前說的狐狸習性，還有什麼特徵？」

陰鳳翾的話把唐天佑亂糟糟的思緒拉了回來，唐天佑清清喉嚨，當然不會說出心裡所想，回想南極仙翁的話，一字不漏答道：「據仙翁所言，凡狐成仙，必修有魅珠，其色或紅或青，附身於人時，常將其佩於腰間胸前，以得天下所愛……」

「芸芝，妳看……」陰鳳翾欲言又止，畢竟孟芸芝伺候太子多年，只有她最瞭解太子。

孟芸芝看看她，再看看宓不疑和唐天佑，最終嘆道：「太子的確有一枚貼身佩

戴的寶珠……是太子她……刻意去城西大仙廟裡求回來的，說是能促進桃花緣，讓她喜歡的人都喜歡她。」大仙亦即信眾對狐仙的尊稱。

陰鳳翾愕然道：「什麼時候的事？」

孟芸芝緊咬下唇，吞吞吐吐，似乎十分為難。唐天佑雖覺不忍，但事關重大，只能耐心等她說出來。

「芸詹事……」

宓不疑早在女兒國當質子時，與孟芸芝、孟芳芝便是舊識，否則兩人不會輕易答應幫他混進宮中，如今孟芸芝卻微帶幽怨的瞟了宓不疑一眼，打斷他的話，道：「就在宓公子離開女兒國後，太子好一陣悶悶不樂，於是國舅帶她出門散心，在大仙廟遇見一名道姑，自稱能作法招人緣，太子信了那人的話，花了許多錢作法，來回多次，後來不知從何帶回一枚血紅寶珠，說是大仙聖物……」

唐天佑聽得下巴都快掉下來，難不成太子是為情所困，對宓不疑因愛生恨，求狐仙保佑招桃花，卻反被狐仙附身，性情大變，成了四處強搶民女的惡太子？

未知如何，下回分解。

第八回

露爪牙心月狐詭辯
揭黃榜徐貴人治河

孟芸芝一段話宛如晴天霹靂，劈得在場眾人震驚無語。孟芸芝才說完，隨即藉故告退，留下一干人等面面相覷。孟芳芝想追過去，又怕陰鳳翾不悅，宓不疑嘆口氣，同陰鳳翾起身離開，只說過幾天找時間再來拜訪唐天佑。

轉眼房裡剩下他一個人，唐天佑坐回床上，心想宓不疑果然真人不露相，原來女兒國兩位王子竟都傾心於他，想來十年青梅竹馬一起長大，三人感情非比尋常，然而三角感情可不是「君子之爭」，你推我讓便能解決問題。宓不疑就這麼拋下爛攤子跑回君子國，留下陰鳳翾痴痴苦等，間接導致太子陰鳳翔性情大變，心月狐方能趁虛而入。

唐天佑躺在床上，憑空推演半天，只覺無一處不吻合，不由得佩服自己起來，還沒結婚，便能把複雜的感情問題分析得如此犀利。想著想著，不自禁開始想像他將來的娘子會長得什麼模樣？什麼性情？最好是溫柔嫻淑，不必長得太漂亮，喜歡和他聊天，聽他說笑話要懂得笑，別冷冰冰繃著張臉——這樣說來，輕佻冶豔的太子陰鳳翔肯定不對他胃口，二太子陰鳳翾太過正經嚴肅，像個私塾先生，何況她是宓不疑所愛，君子自然不能奪人所愛，雖然她們都是貨真價實的女人——想到這裡，突然有一

張臉浮上他的心頭。

「意中人啊意中人，俺的意中人，大概就像芸詹事那樣子的吧？」

唐天佑一腔情思嫋嫋，懷抱美夢而眠，然而一覺過後，就要面對殘酷的現實。這天他的意中人孟芸芝果真送來太子給他的一疊新衣，然而才說沒兩句話，便滿腹心事的離開。唐天佑有些悵然，但仔細想想，亦屬人之常情，要是知道認識十幾年的周家少爺被狐狸精迷上，命在旦夕，自己也會操心煩惱吧？

更何況太子漸有走火入魔之勢，若她心神完全被心月狐所控制，登基為女兒國國王之後，不知還會做出什麼喪心病狂的事，例如濫殺無辜、發兵侵略他國，危及數十萬無辜國民，想想令人不寒而慄。

唐天佑取出自己貼肉藏好的天雷符，滿心思量究竟得怎麼對付太子身上的心月狐——要說在大庭廣眾下號令捉妖，大概還沒摸到太子衣角，便被鬍鬚宮女一擁而上亂棍打死，要說以身試妖，趁兩人獨處時翻臉動手，他又沒把握一舉成擒。想來想去，正拿不定主意之間，便有宮女端上食盒，著貴人用膳。

只聞那宮女的聲音十分古怪，唐天佑輕咳一聲，假裝打量食盒，果見宓不疑朝

他眨眼，他便若無其事道：「留他一個人伺候便成，你們下去吃飯吧！」

另兩個宮女得令，喜孜孜的告退，才掩上門，宓不疑便老實不客氣的坐下，打開食盒，卻見從中跳出一隻貓來，裡面只有幾個饅頭，還沾著幾根貓毛。

「阿寅？」唐天佑驚道，看著悶了許久的虎紋貓阿寅在房裡跳來跳去，隨即低聲罵牠主人道：「人家是送飯，你居然送來一隻貓，俺今天中午就只吃饅頭？」

「唉，我沒有胃口，不吃了。」宓不疑答非所問，一副心事重重的模樣。

唐天佑心想我又不是問你，正想回嘴，考量到他的心情，卻難怪他如此心不在焉。但看宓不疑扮成宮女，一身湖綠襦裙，秀眉微皺，斯文之中帶著一股輕愁，我見猶憐，果然是太子鍾愛的類型，不由得勸退他道：「俺看宓先生你別在宮裡待太久，萬一被太子看到，認出你來，依她由愛生恨的態勢，可不是好玩的。仙翁交代的任務，俺自會想辦法解決。」

宓不疑長嘆一口氣，虎紋貓阿寅一躍跳進他懷裡，向他撒嬌，宓不疑有一下沒一下撓著牠的背，嘆道：「唐兄弟，我沒想過事情會變得那麼複雜。我本來以為，找到翾翾，把你從宮中救出去，再向她表白心意，什麼事就都解決了——昨晚翾翾跟我

說了很多，唉……她……她居然說……」

見宓不疑欲言又止，唐天佑自是窮追不捨問道：「二太子說什麼？」

宓不疑沉吟半晌，便道：「她要我帶她走。」

「啊？」唐天佑及時掩住嘴巴，改以氣音道：「帶她走？那不就是私奔？」

「『取妻如何？匪媒不得』[1]，鄙人何嘗想無媒而奔，奈何……奈何情路屢遭阻礙……」

「若不私奔，也無路可走吧？」唐天佑替他把話接下去。

宓不疑點點頭，唐天佑跟著嘆氣，反倒開解他道：「既然你們兩情相悅，走了也好，等生米煮成熟飯，相信你王兄也不會反對了。」

「如今太子視鳳翾如眼中釘，鳳翾早有離開的打算，但我們離開女兒國容易，留唐兄弟你在宮中孤立無援，鄙人於心何忍！」

唐天佑撇撇嘴角，指了指自己一雙花盆底鞋，道：「俺的一雙腳已經好得差不

1 取妻如何？匪媒不得：出自《詩經．豳風．伐柯》，意指娶妻定需經過媒妁之言。

多了，隨時可以趁夜躡空離宮。不過仙翁交代的任務尚未完成，還得找機會試探試探太子，若她真是心月狐附身，俺用仙翁的符把她治好，等她康復，你們倆說不定也不用私奔了。」

「鄙人還是擔心唐兄弟的安危啊！」

話猶未畢，但聽門外腳步聲響，唐天佑怕是太子的人來了，趕緊示意宓不疑站起身，假裝收拾食盒，沒想到接著是一聲聲的「參見太子」傳來，嚇得兩人三魂丟了七魄，不知如何是好。

「我……我這就走……」

「來不及了！」

宓不疑開門要走，唐天佑卻怕他當面衝撞太子，屆時太子怎會認不出老情人？弄了半天無處可逃，唐天佑只好一把將他推到床上，拉上桃紅紗帳遮掩，自己再坐回原位假裝吃饅頭。

「太子駕到！」

最後一聲太子駕到隨著開門聲而來，唐天佑故作驚訝的起身，屈膝萬福道：

「奴婢參見太子殿下。」

「貴人平身。」

兩人各懷鬼胎，卻也一板一眼的行禮如儀。太子瞟了瞟唐天佑低垂的臉，又看看桌上幾個食盒，蹙眉道：「那些個蠢才，怎麼給貴人吃些粗食？」

唐天佑呵呵假笑，隨口胡謅道：「太子有所不知，為了穿婚服顯腰身，奴婢近日發憤減肥，目標是十斤肥肉，才吩咐他們別準備太油膩的東西。」

「原來如此，難得愛妃有這份心意，本太子十分感動，但也別餓壞身體了。」太子跟著呵呵假笑，不忘伸手捏他的「纖腰」一把，虧得唐天佑最近不時得應付太子這災星，才沒有翻臉發作。

兩人演了半晌，太子方施施然坐下，唐天佑正想婉轉問她今天有何貴幹，順便拿仙翁給他的符試一試她，虎紋貓阿寅卻從衣櫃底下鑽出來，半趴在地，對太子陰鳳翔擺出咆哮的姿勢。

「喵嗚——」

「咦，這不是阿寅嗎？」太子眼睛一亮，唐天佑見狀況不對勁，連忙裝模作樣

高呼道：「哪裡跑來一隻野貓？快來人把牠抓走——」

「不必，沒本太子的吩咐，你們誰也別進來。」太子隨即說道，眾宮女當然以太子之命為準，一個個只管守住門戶，別說貓，連隻蚊子飛出去都難。

「阿寅阿寅，我好想你啊！你知道嗎？這些日子你都跑哪裡去了？鳳翾王弟不要你了嗎？那還不回本太子身邊？」陰鳳翔低低笑道，聽得唐天佑一陣毛骨悚然，只覺這話是對著宓不疑說的，眼角餘光不禁瞄向床帳，床帳後一點動靜也無。

「阿寅阿寅，你乖不乖啊？讓本太子抱抱你，嗯？你想吃雞還是魚？本太子叫人煮給你吃，生的也可以……」

陰鳳翔一雙眼睛只盯著阿寅看，雙腳一步一步走向虎紋貓，雙手攤開，做出擁抱的姿勢。阿寅渾身虎毛根根直豎，步步後退，卻是毫不服輸的朝她叫嚷。

「喵！」

倏地阿寅伸爪上撲，陰鳳翔微扯嘴角，一手便把牠脖頸子提住，另一手握住一雙貓爪，「啪啪」兩聲，左右貓爪應聲而折，痛得阿寅不住喵嗚尖叫，但陰鳳翔仍是以憐憫的口吻對牠道：「奇怪……阿寅，你是跟著誰來的呢？」

唐天佑哭喪著臉，正不知如何是好，突然想到南極仙翁的交代，於是倒退一步，喊道：「汝師將至，宜歸去來兮！」

太子聞言倏地回首，雙瞳異光閃爍不定，臉色忽晴忽陰，表情變了幾變，似有剎那失神，好半晌才一字一句輕聲道：「天佑，你說什麼？是誰去了誰來了？」

唐天佑見她答非所問，但看她的袍角沒露出狐狸尾巴，心想難道太子不是心月狐附身？但看她的眼神愈來愈凌厲，步步逼近，唐天佑深怕她下一步就來折自己的手腳，又不想隨便掀出天雷靈符這底牌，於是靈機一動吼道：「妳的魅珠掉了！」

太子果然一愣，稍稍低頭，右手掩胸，似要確認魅珠所在，唐天佑還沒來得及慶幸計謀得逞，太子雙眼一瞇，猛然手臂暴長，掐上唐天佑塗滿香粉的粉頸，尖聲喝問：「說！你知道些什麼？誰派你來的？」

陰鳳翔像換了個人似的，眼神嗜血，指爪不住使勁，直要掐斷他的脖子。唐天佑被她掐得滿臉通紅，只能指著她的臉，斷斷續續道：「我……不是妳……妳自己把我抓……抓來的嗎？妳這狐狸……」

「精」字尚未出口，但聞一聲貓叫，阿寅倏地飛撲而上，正正咬上陰鳳翔的手

臂，兩人一貓，你咬我、我抓你，陰鳳翔殺紅了眼，渾然不管阿寅，雙手不住用勁，唐天佑被她掐得幾近斷氣，手腳亂舞，就是摸不出懷裡的天雷符。

「你知道什麼？說！你到底知道什麼！」

「妳……妳這狐狸精……」

「放開他！」

藏身紗帳後的宓不疑終於忍無可忍，跳出來「英雄救美」。唐天佑趁陰鳳翔突然失神之際，連忙躲開她的掌控。宓不疑一手扯過阿寅，有如母雞展翅保護小雞，擋在唐天佑身前動也不動。唐天佑從他腋下瞥去，只見陰鳳翔像中邪似的，一手按住額頭，一手按住胸口，腳步凌亂，狀甚痛苦。

「我、我的頭好痛！胸口……胸口也痛！」

宓不疑抿了抿唇，看來有些心軟，畢竟陰鳳翔是他許久不見的舊識，這般一打照面便喊打喊殺，不是他君子國的作風。只可憐阿寅傷痕累累，血跡斑斑，在唐天佑懷裡不住咪咪哀呼，宓不疑看了心疼不已，也只能硬起心腸道：「鳳翔……太子殿下，妳要找的是我，別遷怒阿寅，更別遷怒天佑！」

陰鳳翔聞言，忽然定住不動，兩人不敢輕舉妄動。只見她沉默半晌，慢慢抬起頭，露出狐狸似的詭秘眼神，擺出如花笑靨道：「喔，原來是君子國王子大駕光臨，真令本太子喜出望外！」

這回換宓不疑一愣，唐天佑見陰鳳翔一時發瘋，一時又像個沒事人似的，也覺意外，不知該如何應對。

陰鳳翔眼神變幻，一步步走近他倆，目光鎖緊宓不疑，殷殷切切問候道：「原來你們是舊識，難道不疑你得知天佑深閨寂寞，特意與他作伴來著？」

唐天佑怕他言多有失，把兩人相識的經過，以及陰鳳翾、孟芸芝姊妹、鼇之僕、徐允恭等人都扯進來，於是在後頭猛拉他衣服暗示。奈何宓不疑這老實人全然不理不睬，逕道：「不錯，天佑是我的救命恩人，鄙人怎能見恩人身陷水火而不顧？妳身為一國太子，強擄……強擄『民女』入宮為妾，究竟視王法為何物？」

聞言，唐天佑暗翻白眼，什麼時候自己成了女兒國的「民女」了？好歹他也是天朝上國的「貴人」啊！

正當此時，陰鳳翔突然發難，一掌打向宓不疑的胸口，宓不疑被她打得措手不

及，應聲吐血倒地，昏迷不醒。唐天佑一邊輕拍他的臉頰，一邊朝陰鳳翔罵道：「妳這是幹什麼！」

「吾是幹什麼？」太子陰鳳翔冷笑一聲，口氣詭譎，「若非『她』如此喜愛這小子，不停想和他說話，令吾差點控制不住『她』的身軀和意識，吾何必下此重手？而且……吾有話想問你。」

唐天佑先是一頭霧水，慢慢領悟過來，難道陰鳳翔的身軀和意識，已經完全給心月狐所控制？先前又是頭痛又是胸痛的，該不會是屬於「陰鳳翔」的意識，正與鳩占鵲巢的心月狐對抗吧？

「你不是說吾乃狐狸精嗎？現在怎麼又不說話啦？」太子轉眼露出一絲魅笑，柔聲道：「都怪『她』剛才兇巴巴的，把你嚇著了對吧？吾可不像『她』，喜歡動手動腳的。」

唐天佑暗自打個冷顫，怎不知對方是口蜜腹劍，居心狠毒，於是吞吞吐吐問道：「你……你就是心月狐？」

「噓！」太子伸出食指，在唇上比個噤聲的手勢，「這個秘密，女兒國裡可沒

有別的人知道呢！來，說給吾聽，是誰派你來的？你認識吾師嗎？」

眼看心月狐分明想試探他，如今宓不疑昏迷不醒，他一人孤立無援，唐天佑倒不想把天雷符拿出來，免得連最後一張底牌也沒了，便道：「俺……俺不認識你師父，但俺師父仙翁說，你若再不回去請罪，天庭就要派天兵天將來抓你了。」

「令師是哪位仙翁啊？」被心月狐附身的太子笑意吟吟，唐天佑自不會蠢得有問必答，太子也不在意，拍拍唐天佑的「粉頰」，逕道：「其實你不說，吾不說，有誰知道？吾不過下凡幾十年玩玩，天庭那幫人怎會大費周章來抓我？你人長得俊又聰明，可惜瘦成這樣，還說是清國貴人呢！不如跟著我享福。我已經有了人身，遲早是一國之主，大不了等過幾年玩膩了，你再回去找你師父覆命就是。」

唐天佑想不到心月狐如此「和藹可親」，還勸自己與牠同流合污，反而真太子陰鳳翔比牠兇惡多了。那「太子」見他不語，還以為唐天佑被勸得意動，便拉著他的手在桌邊坐下，諄諄道：「吾見這位不疑姊姊，也是倔強性子的小王子，你有空替吾勸勸他，留下來和你作伴，共享榮華富貴，可好不好——反正『吾』就是『她』，『她』就是『吾』，『她』當年就是為了這小王子不喜歡『她』，才求吾幫忙，這下

完成『她』的心願，『她』也甘心……呵呵！」心月狐別有用心的笑笑。

久違的雞皮疙瘩爬上唐天佑的背脊，這話說得好聽，但天佑還是不能忍受女兒國這種倒陰為陽，「姊妹」共事一夫的風俗，便硬著頭皮替宓不疑辯解道：「不……不疑姊姊長途跋涉，就是向太子求親來的，奈何沒有門路，求俺引見，才躲在這裡……」

「你不必替他說話。」太子的雙眸閃過一絲厲光，轉瞬回復盈盈笑意，「吾知道，他喜歡的是陰鳳翾，而你……你喜歡的是吾的『芸詹事』吧？」

唐天佑聽得心臟撲通撲通的跳，這心月狐果真道行高深，兼且洞悉人性，牠是憑什麼猜出他暗戀孟芸芝的？牠想拿這個當籌碼要脅他嗎？可惜自己沒問清楚該怎麼聯絡南極仙翁，要不然遇上這心機深沉的狐妖，也好問問仙翁的意見。

太子「呵呵」掩嘴而笑，露出幾許媚態，「吾這人大度的很，成親之後，把孟芸芝賞給你也沒什麼，但那陰鳳翾嘛……只會礙吾大事！」

唐天佑暗暗為宓不疑和陰鳳翾捏把冷汗，心想暫時別和這心月狐附身的太子翻臉為妙，便強撐起討好的笑容，道：「當初俺在國舅府中，被一群婆子婢女拉著要打，幸虧芸詹事救了我，來到宮裡，也全靠她照應，自然便親近一些。」

「孟家一干兒女皆是我宮裡人，芸芝做事細心，吾十分倚重她……」太子欲言又止，曖昧的眼神在唐天佑和昏迷不醒的宓不疑身上轉了轉，改口道：「吾也不逼你馬上答應，你好好想想。這幾天，本太子會著芸芝安排你和不疑小王子搬去牡丹樓，你們就乘機好好培養感情吧！」牡丹樓是女兒國太子妃的住所，這麼一來，可說連宓不疑都逃不出太子的手掌心了。

太子一副不愁他不上鉤的樣子，唐天佑只好裝作被哄得暈陶陶的樣子，拜謝道：「謝太子恩典，俺會好好照顧不疑姊姊的。」

話分兩頭，自從宓不疑擔下入宮救人的任務，鼇之僕和徐允恭就只能在宮外呆等消息。但等了近大半個月，宮裡宮外就像隔道不透風的牆，半絲消息亦無傳出。這時鼇之僕手裡的綢緞珠寶也賣得差不多了，就等著拿本錢轉買絲貨回家，於是和徐允恭不時的往國舅府和王宮附近探聽，但同樣泥牛入海，全不見回音。

終於，王宮前的一張金花布告讓他們目瞪口呆，無話可說。

「奉天承運，國王詔曰，太子年屆弱冠，宜擇良配……特冊封君子國王子宓氏為太子妃，海外大清國貴人唐氏為太子良娣，聶耳國聶氏為……欸！這個不用管，總之七日後吉時完婚……那宓氏和唐氏，該不會就是宓先生和唐兄弟？」

王城前人擠人，全是為了國王的詔書而來，虧得鳌之僕腳下祥雲靈便，三兩下便擠到布告之下，找到重點幾行字，大聲朗誦起來。徐允恭跟著他穿過人群，也抬頭望向金光閃閃的布告，愈看愈是愁眉深鎖。

「老天爺啊！宓先生是去找人的，怎麼把自己倒賠進宮裡做太子妃，天佑反倒成了妾……哎，我的意思是說，宓先生喜歡的不是女兒國的二王子嗎？怎麼就被太子橫刀奪愛？還與天佑共事一夫？」

這也難怪鳌之僕語無倫次，只因這消息實在太令人震驚。幸好一眾女兒國民也是議論紛紛，沒人在意他的胡言亂語。

見徐允恭不言不語，鳌之僕正想把他拉到一角商量對策，卻不知徐允恭義憤填胸，低頭思考半晌，上前一步，伸手便把金花榜文旁的明黃榜文撕下。鳌之僕不知他有何打算，當著眾人，攔又攔不得，問又問不得，不知如何是好。

「有人揭了治水榜文啦！」

女兒國地勢低窪，多年來受水患所困，國民流離失所，死傷無數。此時聞得有人揭了治水榜文，登時四方轟動，老老少少，無數百姓，都圍成一圈又一圈起鬨，直比太子完婚還熱鬧。

遠處一支隊伍吹吹打打，原是坤國舅帶領一干僕役，擔著幾十擔禮物，準備進宮祝賀，沒想到還沒到宮門，便遇上這場熱鬧。

「你是哪裡來的婦人？隨便揭下榜文，榜上的話可都看清了？」一名為國舅開路的僕役上前問道。

此時四周男男女女聚集過來，徐允恭不打算再隱瞞自己的身分，便朗聲發話道：「我姓徐，天朝大明國人氏，世居南京，乃中山王徐達之後。治河一道，我們天朝無人不曉。今天有幸看見國王這榜，說若有鄰邦臣民能治得河道，財寶官位，悉聽封賞，說得甚是誠懇。因此不辭辛勞，前來治河……」

徐允恭話未說完，早有許多百姓，挨挨碰碰，都跪在地下，口口聲聲只求天朝貴人大發慈悲。鳌之僕向來以為徐允恭是淑士國人，哪知他也是來自天朝，還是名門

之後，一時嚇得目瞪口呆。

徐允恭端起天朝名門之後的架勢，長身挺立，睥睨四方，續道：「你們諸位請起。我雖能治河，但財寶官位我都不要，只要貴國依我一事，我就即日畫下治河圖稿興工。」

眾百姓紛紛都起來道：「不知貴人所說何事？」

「不才有一位朋友，前因賣貨進國舅府，下落不明。又有一朋友前去找人，亦是不知去向。如今兩人皆被貴國太子立為妃妾，吉期就定在七天後，你們如想我治河，便立即到朝前哭訴，快快放了這兩人。如國王和太子不以國民身家性命為重，不肯放人，縱使財寶如山，我亦不願動工。」

徐允恭說話間，那圍看的國民就如人山人海一般。眾百姓知道國舅和太子狼狽為奸，皆是性好漁色之徒，徐允恭那兩個朋友想必是被國舅看上，再被太子強逼為妃妾。只聽為首幾個百姓發一聲喊，大家不約而同齊向朝門而去。那幾個僕役，連忙也回稟國舅去了。

此時鼇之僕才覷得空隙，三兩下飄到徐允恭身邊，說道：「允恭，你瞞得我好

苦啊！你果然是天朝人士，曉得治河嗎？」

徐允恭輕嘆口氣，「不才有難言之隱，還請鰲大人莫怪。如今實在無可奈何才出此下策，希望能把天佑和不疑救出來。」

鰲之僕搖搖手，道：「也別說怪不怪了，我們現在都坐在同一條船上。你既然答應他們治水，若修治不好，虛耗國庫款項，豈不連我們也陷進宮裡了？」

徐允恭道：「這時百姓前去，大概國王難違眾情，或會暫緩太子完婚吉期。我長在南京，南京位於長江下游，河道交匯，地勢低窪更甚於女兒國。先父且是南京工部官員，治水疏通之法，我自小見慣，等明日看過河道，便設法斟酌，務必不讓女兒國百姓失望。」

鰲之僕聽著，覺得這是沒辦法中的辦法，皺眉搖頭道：「倘若不成，我也只能想辦法花錢把你們一個個弄出去了，唉！」

兩人商談間，坤國舅已帶著一干僕役來到城牆王榜之下，嬌聲問道：「就是你這婦人揭了治水榜文？」

「不錯。」徐允恭轉身答道，鰲之僕只好暫退一步，充當他的隨從。

「也是你胡言亂語，說本國舅扣下你的朋友不放？」坤國舅冷笑續道。

「是否胡言亂語，國舅心裡有數。」

徐允恭慣經風浪，坤國舅亦非省油的燈。一干僕役本蠢蠢欲動，欲將他拿下，坤國舅卻以折扇阻擋手下，上下打量他半晌，續問道：「你若真有通天本領，便隨本國舅前去晉見國王，讓國王與百官當面考較你的本領，如何？」

「樂意之至。」

「好極了！」坤國舅收起折扇，擊掌道：「來人！備下轎馬，把他們倆送到迎賓館，等候國王召見。」

徐允恭胸有成竹，跟著僕役們走了，鳌之僕也只好咬緊牙根，隨他闖一遭龍潭虎穴，只盼望能救回唐天佑跟宓不疑。

不知國王意下如何，下回分曉。

第九回

興工程國王延吉期
定良策儲君懲妖狐

那些百姓聽了徐允恭之言，一時聚了成千上萬人，齊至宮門前，七嘴八舌，喊聲震天，徹夜不走，都說要國王和太子放了治水能人的兩個朋友，連深居宮內的唐天佑和宓不疑都聽聞動靜，只不知道究竟發生什麼事。

話說那天宓不疑被太子打得昏迷不醒，醒來之後，卻忘了自己為什麼會暈倒。唐天佑不知道該怎麼和他解釋，只好隨便編個理由，說是太子讓他聞了當初自己在國舅府聞過的軟筋散，才會暈了過去。宓不疑羞憤之餘，只覺胸口一陣一陣的痛，還以為自己氣急攻心，不疑有他。

自從宓不疑和唐天佑搬到牡丹樓，宮女們知道他倆是太子的心頭肉，一天十二個時辰輪班看守，不敢有絲毫懈怠。兩人有如籠中囚鳥，唯獨孟芸芝不時前來照應，偶爾給他們輾轉帶幾句消息給二王子陰鳳翾，但陰鳳翾亦是自身難保。

不只宓不疑沮喪，唐天佑心裡也是千頭萬緒，不知從何說起。太子——亦即心月狐——說的話，不時在他耳邊響起。的確，女兒國看他是天朝貴人，從他進宮以後，每天錦衣玉食，出入僕從如雲，都是他從來不敢想像的富貴生活。但要他這麼「男扮女裝」，像金絲雀一樣被拘在籠裡一輩子，還得討好不喜歡的「狐狸精」，還

不如找處斷崖跳下去，看能不能跳回家鄉算了。

倒是芸詹事她……唐天佑搖搖頭，不許自己再胡思亂想，淪落狐妖太子一般淫賤下作，如今最重要的是辦好仙翁交代的任務，不然連小小的考驗都通過不了，還說想當顧丹爐的仙童呢！

「天佑、天佑……」

唐天佑與宓不疑身穿太子賞賜的華衣美服，環佩叮噹，對坐無語。宓不疑見唐天佑一時搖頭，一時嘆氣，便叫了他兩聲，見他沒回應，只得拍拍他肩膀道：「天佑，你怎麼了？」

「啊……我是想外頭從昨晚鬧到現在，不知在鬧些什麼，該不會造反了吧？」唐天佑佯裝無事，隨即扯開話題，指指宓不疑腿上的阿寅，說道：「人用的傷藥對貓有效嗎？雖然這藥俺用的挺好，給白綾裹斷的腳趾已經好得七七八八，走路不成問題……」

宓不疑愁上眉頭，道：「裡裡外外這麼一鬧，牡丹樓明顯多了許多人看守，我們要走就更難了。就不知太子究竟有何打算？」

「俺看她沒什麼打算，就是想讓你當她的太子妃，我當她的什麼男妾。」唐天

佑捧著腮幫子總結道。

「我絕不當什麼太子妃！」

宓不疑難得動了真怒，唐天佑連忙勸道：「噓，這話可別大聲說，這太子給狐妖附身，搞得瘋瘋癲癲的，咱們得先拿話哄住她，要不然她發起瘋，拿你的心上人開刀怎麼辦？為了爭奪皇位和愛人，兄弟自相殘殺都不奇怪，而且國王又在病中，誰制得住那瘋狐狸精？」唐天佑比出手刀，慢慢砍向自己的脖子，看得一股寒意從宓不疑脊髓升起。

「鳳翔……太子她的眼神，的確多了一股從前沒有的邪氣。」

唐天佑不好對他說心月狐的的確確附身在太子身上，還開出優厚條件利誘自己，只能挑重點道：「俺已經打算好了，趁太子還不知我有一張治她的靈符，咱們先『虛與委蛇』一番，等她放下戒心，俺的腳也全好了，便找二王子裡應外合，若是對付不過，俺便施展躡空術，左一個右一個，把你們倆帶出宮……」

「那個字念『疑』，不念『蛇』。」宓不疑忍不住糾正。

唐天佑揮揮手表示不重要，「我猜狐妖的『魅珠』就藏在胸口，不然上次太子發瘋的時候，也不會直嚷著胸口痛，要是藏在腦袋瓜裡，俺就沒辦法了。」

宓不疑長嘆口氣，「於情於理，我們不能放下太子不管，一走了之。」

「所以我們才要虛與委『蛇』，藉故討好太子啊！不然怎麼接近她，把符貼在她頭上，或是把魅珠從她身上拔下來？」唐天佑沒好氣道。

「自然是稟報國王實情，讓天佑你去對付那狐妖，然後鄙人再說出與鳳翾兩情相悅之事，求國王賜婚。」

「你想得太完美啦！」唐天佑總不能說太子已看出他們倆的心思，隨時先下手為強，對付陰鳳翾，「先別說國王信自已的骨肉還是信我這外人，俺想起太子那兇樣就害怕，何況她怎可能乖乖站著讓你驅妖？不讓鬍鬚宮女亂棒打死你就不錯了。宓先生還是找機會警告二王子，請她飲食出入都得小心，別被暗算了。」

宓不疑聞言，不禁擔心起陰鳳翾的處境，不再說話，低頭為阿寅敷藥療傷，唐天佑正想藉機盤問他與女兒國兩位王子的昔日情事；不料門外匆匆走進兩個宮女，慌張道：「王上有令，請兩位貴人立即隨奴婢前去大殿晉見。」

聞言，兩人交換眼色，皆不知是吉是凶，難道是女兒國王病好了良心發現，要放他們回去嗎？

話分兩頭，徐允恭與鳌之僕同至迎賓館住下，幾百個急於求天朝貴人治水的百姓，也跟到迎賓館外跪拜。女兒國官吏見狀，不敢虧待他們，招呼他們吃了頓豐盛酒飯，隔天一早，便請他們入宮晉見。

女兒國王臥病多年，大權旁落太子與國舅，這回在病床上也耳聞騷動，喚來親信仔細詢問，親信才把「天朝婦人揭榜，稱是能修河治水，因太子把他朋友立為妃妾，非得釋放他的朋友，才願興工。眾百姓現在聚了成千上萬，齊集朝門，懇求主上以數十萬生靈為重，勿讓太子和國舅擾亂視聽」等話，面奏一遍。國王聽得驚疑不定，隔日一早，強撐病體上朝，傳喚天朝婦人及太子、國舅當面對質，後來索性把宓不疑和唐天佑叫來相認，免得誤會。

唐天佑和宓不疑懷著不安的心情來到大殿，一見徐允恭及鳌之僕，只嚇得目瞪口呆。太子和國舅交換一個眼色，知道他們是舊相識，心中盤算要如何應付國王。

國王看看盛裝打扮的宓不疑，露出欣慰一笑，道：「原來真是十三王子來了，翙兒

和寡人說的時候，寡人只是不信，若女兒國與君子國兩家締結良緣，可是天大喜事。」

唐天佑暗翻白眼，看來他太過高估這國王，老父果然還是偏袒不肖子，不必抱太大希望。

「這位清國貴人亦是麗質天生，不知如何與小兒相識然後進宮？以致造成貴友誤會？」國王轉將眼光投到唐天佑身上，以和藹的口吻道。

唐天佑未及回答，坤國舅已然上前一步，稟奏道：「唐貴人早前至舍下賣貨，忽染重病，手足發軟不能行走。小臣因留他在舍下調養，恰巧遇上太子，二人一見鍾情。至於逼立太子妃之說，乃百姓訛傳，王上斷斷不可輕信。」

坤國舅面不改容的扯謊，滔滔不絕，太子在一旁幫腔，其他人根本插不上話。

宓不疑支吾半晌，怎的都不好意思大庭廣眾坦承自己喜歡的是二王子陰鳳翾，而非太子陰鳳翔。徐允恭和鳌之僕也覺得奇怪，怎麼唐天佑一副乖順不反抗的模樣，倒想在宮裡長住似的。

太子見己方占了上風，便對徐允恭冷笑道：「這其中或許有什麼誤會？本太子看你也算個人才，治河一事，不知你有何高見？若真能治好我國水患，本太子不僅不追

究你誣告之罪，還會大加賞賜，若是治不好，那就要連帶虛耗國庫的罪名加倍處罰！」

這下箭在弦上，不得不發，徐允恭也只好上前一步，朝國王稟告道：「據在下所知，七八月乃是女兒國雨季，年年加築河堤，卻是年年被暴雨沖垮。久聞禹疏九河，非以防堵為上。疏通眾水，使之各有所歸，自然不至為患。愚昧之見，尚望國舅與太子殿下指教。」

「徐貴人之言，令本王茅塞頓開，想來敝國水患，從此可以永絕。」國王聽了連連點頭，一雙眼睛直盯著他，似乎十分欣賞他的見解。

鳌之僕看得暗暗發毛，總覺得這位國王醉翁之意不在酒。但起碼國王喜歡徐允恭，就不會因為治不好水而砍他腦袋，大不了他們三個一起待在女兒國後宮，留得青山在，不怕沒柴燒。

「紙上談兵，誰人不會。你倒說說要如何下手疏浚？」太子哼道，顯然不欲徐允恭受國王青睞。

「河水泛濫為害，多半是河路壅塞，河水難循去路下行。河身挑挖深通，自然受水就多，受水既多，再有去路，便不致泛濫，詳情得看過河道再論。」

「那挑挖深通，不知天朝向來用何器具？」太子不依不撓追問道。

「且聞貴國禁用利器，日常所用以竹刀居多，挖通河道，需用銅鐵打造器具，國王或可派工匠看在下畫出器具模樣，一面打造器具，一面訪查河道淤塞狀況，一面徵召民伕，相信不久便能開工。」

徐允恭答得頭頭是道，太子、國舅也難挑出毛病，國王點頭笑道：「若講民伕，貴人只管放心。敝國河道為患已久，聞貴人修治河道，眾百姓必然樂於參與，況且發給工錢飯食，那些小民，何樂不為？」

主意既定，國王不容眾人多說，便道：「如今國難當頭，不宜耗費民力，太子身為儲君，應當共體時艱，協助徐貴人修治河道，大婚典禮亦暫且延遲舉行，直到工程完峻，方得再議。」

唐天佑等人暗自叫好，太子為之氣結，亦不得不躬身領命。

「不疑，你放心跟這位清國唐貴人住在宮中，等候好消息。」國王轉向宓不疑笑道，一副把他當準兒媳婦的模樣。

女兒國王從小看宓不疑長大，一直覺得這個性格溫厚的王子與自己性急暴躁的

長子十分匹配。宓不疑敬他是長輩，不忍違逆他的意思，只能唯唯諾諾。唐天佑眼珠一轉，裝作楚楚可憐道：「啟……啟稟國王，因小人的緣故，導致太子與小人的朋友發生誤會，小人實在罪該萬死。」

「唐貴人遠從天朝來敝國遊玩，難得與太子投緣，寡人十分高興。若不是這場誤會，徐貴人也不會挺身而出，為敝國提出解決水患的良策。所以你不僅無罪，還有功於女兒國。你們久別重逢，今晚就由你代寡人接待徐貴人吧！」

唐天佑等的就是這句話，連忙謝恩。國王對這「皆大歡喜」的結果頗為滿意，再吩咐幾句，便說擺駕回宮，眾人一起跪地恭送。

當晚，徐允恭與鼇之僕一同下榻牡丹樓，吃完酒飯，唐天佑屏退髫鬟宮女，四人圍坐，唐天佑才說出太子被心月狐附身，導致性情大變，自己必須留在宮裡，完成仙翁交代的任務云云，宓不疑亦吐露其與二王子陰鳳翾苦戀的苦衷。

徐允恭與鼇之僕聽罷，也不知這回插手算不算愈幫愈忙，至少大婚典禮延遲，兩人暫時得免侍寢之禍，要不被太子生米煮成熟飯就嗚呼哀哉了。四人商量一陣，決定還是以女兒國百姓的身家性命為重，等徐允恭治水有成，唐天佑再想辦法設局試探

太子，免得大家撕破臉，沒一處討得了好。

次日，許多工匠應國王之命來到宮中，徐允恭照印象畫出器具模樣，那些工匠雖是男裝，其實都是心靈手巧的女子，個個舉一反三，只消徐允恭指點幾句，登時領悟，開爐打造指日可待。其後，太子一連數日陪徐允恭出城看河，等看完回來，第一批器具已經打造完畢，國舅也已召集上千民伕，準備動工。

原來那年年氾濫的無定河，兩邊堤岸高如山丘，河身既高且寬又淺，有如浴盆放在屋脊上，一經大雨，雨水便從兩邊漫溢而下，使平地頓成澤國。因此繼續築堤不過是飲鴆止渴。徐允恭的「深挑」之法，乃是將河道分段，截彎取直，逐段築起土壩，將第一段挖深挖通之後，就把第二段的土壩推倒，將水放入第一段新挑的深坑之內，然後再挑第三段、第四段，以水力將淤積的泥沙盡數沖入海中。

等逐段都動起工，挖上來的泥土一時難以上岸，只能由民伕把竹筐垂入坑內，用轆轤[1]一筐一筐運上來，十分辛苦。虧得百姓年年被水患鬧得家破人亡，此番動工

1 轆轤：即定滑輪、動滑輪。

無不竭盡全力，數千民伕有的挑挖、有的運土。徐允恭效法大禹治水的精神，輪流住在各處工地指點監工。一個多月過去，工程頗有進度，百姓們十分感動，幾個富商出面湊錢，立了一塊金字匾額送到鳌之僕那裡，上寫「澤共水長」四個大字，另有謝儀一萬兩，鳌之僕推卻不過，只好代收了。

國王聽聞地方官員上報治水績效，十分滿意，倒是太子早前隨徐允恭視察工程進度，被大雨淋得患了風寒，只得由坤國舅兼任她的工作，忙得國舅是焦頭爛額，一下巡視工地，一下監造工具，差點跟著病倒，自然沒有閒情逸致過來調戲唐天佑他們。

唐天佑困居宮中，把這些消息都聽在耳裡。這幾天國舅、太子沒空騷擾他們，國王又刻意命令宮女們好生伺候，那些鬍鬚宮女個個耳聰目明，心想他倆一個是未來太子妃，一個是天朝貴人的朋友，徐允恭若立下治水大功，唐天佑就算嫁不嫁給太子，都是女兒國座上貴客，於是一個個陪著笑臉。

唐天佑看準他們的心態，順理成章擺出頤指氣使的模樣，藉故打聽太子的日常作息，明是為以後嫁給太子作打算，暗是找機會除妖驅邪，問來問去，太子的弱點仍不出「怕狗」和「酒色」兩項。為此，唐天佑特別把徐允恭叫回宮中共商大計。

「你想舉辦治水慶功宴？」

徐允恭蹙眉道，大老遠趕回來，還以為唐天佑與宓不疑出了什麼差錯，想不到反過來是唐天佑想對付太子。席上除了唐天佑等四人，尚有二王子陰鳳翾接到宓不疑的邀請而來。

「芸詹事呢？」

唐天佑左右望張，陰鳳翾推了推眼鏡，道：「王兄病了大半個月，最近才好一些，又嚷著要去看治水，芸芝分不開身，或許晚一點過來。」

「沒想到太子這般有心。」徐允恭淡淡道，聽不出他是明褒或暗貶。

「所以我們更要邀請她來參加慶功宴啊！」唐天佑伸手摸了半天，終於把懷裡的符咒掏出來小心翼翼攤平，眾人跟著湊過頭來。

「這是什麼？」陰鳳翾推推鼻梁上的眼鏡，數人中只有她不知內情。

「對付太子……應該說是對付附身太子狐狸精的法寶。」唐天佑以手撐頭，盯著那張符道：「仙翁說，只要把這符貼在心月狐的額頭上，便能把牠的狐狸真身逼出來，這樣太子應該就能恢復正常。」

「上回又不見你把這張符拿出來……」宓不疑嘟噥幾句，終究還是顧及唐天佑的面子，把剩下的話吞進肚子裡。

唐天佑嫩臉微紅，當然知道宓不疑想說什麼，半晌清清喉嚨，道：「上回俺給掐得喘不過氣，還來不及把符咒拿出來，王子你已經跳出來了……」

辯解幾句，唐天佑索性把自己的計畫道出：「俺是打算，趁太子病歪歪沒什麼力氣，請她過來喝酒，咱們幾個人再把她灌得醉醺醺的，乘其不備，把符貼在她額頭上，讓妖狐現出真身，咱們再一起衝上去拿刀拿劍對付妖狐，搶去牠的魅珠。」簡單說來，就是「色令智昏」，再「聚眾圍毆」之法。

鳌之僕倒抽一口涼氣，「那心月狐法力高強，萬一我們制不住牠怎麼辦？」

唐天佑故作慎重的點點頭，沉聲道：「仙翁的天雷仙符，法力想必是足夠對付妖狐，為了保險起見，俺打算聯合二王子與芸詹事，看是要拉幾隻看門惡狗來幫忙嚇唬牠，還是要準備幾升黑狗血潑在牠身上，總之就是『趁牠病，要牠命』，眼前這機會可一不可再。」唐天佑一手指著自己，一手指著宓不疑，續道：「等太子恢復正常，咱倆也不必做什麼太子妃，你帶著二王子，俺跟著鳌大人和徐大哥，帶著那一萬

兩治水謝儀回家鄉，豈不逍遙自在？。」

鼇之僕最是小心，聞言又道：「貿然以惡犬狗血嚇唬牠，不嫌太魯莽嗎？萬一牠作勢叫了起來，那些翳鬟宮女見了，幫的可是被心月狐附身的太子，不是我們啊！」

說到翳鬟宮女，便聽外頭幾個翳鬟宮女粗聲粗氣，不知朝誰問安，幾人連忙收了話，免得隔牆有耳，沉默半晌，但聞翳鬟宮女的腳步聲漸行漸遠，孟芸芝滿臉疲態推門進來，眾人不約而同望著她。

孟芸芝朝眾人微微點頭致意，道：「放心吧！我要他們先去歇息了。」

「他們」指的自是翳鬟宮女，陰鳳翾示意她坐在唯一空下來的座位上，接著問道：「王兄病況如何？」

孟芸芝輕輕嘆口氣，「風寒倒是無礙，只不過殿下夜半經常夢魘，不是……不是說要殺了誰，就是說誰想殺了她。有時獨自一人，還會露出詭異的冷笑。」

孟芸芝難掩憂色，畢竟她從小伺候太子長大，即便擔心太子的安危，亦不忍心做出傷害太子之事。眾人知道太子的病情嚴重，都是面面相覷，沒一個敢提起適才潑狗血之類的話題。

「太子已然病入膏肓，我們不能坐以待斃。」徐允恭啜了口茶，淡淡道。

「各位有何打算？」孟芸芝緊咬下唇，吞吐道：「殿下她……她真的是被狐妖附身，無藥可救了嗎？」

「芸詹事不必擔心，我們並沒有打算傷害太子。」唐天佑站起來，雙手負背，看看宓不疑，看看陰鳳翾，一副莫測高深的樣子，「俺已經想好一齣『美人計』，因為……因為太子她心繫宓先生，上回宓先生一出現在她面前，她便心痛又頭痛，有他出馬，擾亂太子的心神，我們接下來的計畫定能馬到成功！」

聽得自己是「美人計」的主角，宓不疑差點沒暈過去。唐天佑在孟芸芝面前演了半天，好不容易勸得她放心了些，才對徐允恭道：「那就先以徐大哥的名義發出請帖，向太子釋出善意。」

徐允恭點頭答應，眾人又商量幾句，有感太子詹事孟芸芝在旁，都不敢說出太逾越身分的話。於是唐天佑便自告奮勇送孟芸芝回去，順便和心上人聊聊天。

孟芸芝滿懷心事跟著唐天佑走了，眾人刻意壓低的討論聲猶在背後，唐天佑怕她擔心，在太子面前漏餡，連忙解釋道：「只有趕走狐妖，太子才能恢復正常，芸詹

事，妳千萬別心軟。」

「我明白，只是……唉！」

孟芸芝欲言又止，眉目含愁。就著月光，唐天佑看著男裝打扮的她，心中竟升出幾許憐意。

「芸詹事，妳今年多大啊？」

話才出口，唐天佑才覺得有些不妥當。孟芸芝卻不在意，畢竟女兒國的女子不像其他國家，閨名年齡什麼都得藏著掖著，便答道：「過了年就滿十八了。」

「只比俺大一歲多啊……」唐天佑搔搔頭，怎麼人家已經這麼能幹，自己還像個小孩子似的。

孟芸芝微微一笑，「宮裡待了這麼多年，很多人情世故不會也得會了。本來我想等太子完婚，便辭官回家，過幾年清閒生活。現在看來，卻沒那麼容易。」

「辭官？」唐天佑一驚，引得孟芸芝盯著他瞧，他輕咳一聲，道：「俺看芸詹事在宮裡混得不錯……俺的意思是……芸詹事妳頗得太子殿下重用，怎麼就想著要辭官呢？」

孟芸芝又嘆口氣，「自從殿下心性大變，我日日感覺伴君如伴虎，不知哪一天

行差踏錯，便會萬劫不復。我孟家手足亦有數人在宮裡彼此照應，多我一個不少。家父在鄉間尚有幾畝田地，我寧願回鄉讀書，再不然興一處塾學，忝任塾師，閒時種些花草怡情養性，總比時時刻刻提心吊膽好。」

唐天佑聽聞孟芸芝毫不留戀宮裡的富貴生活，倒與他有志一同，喜歡悠閒自在的田園生活，先前心月狐所言，可顯得自作多情又下流。唐天佑自然不會把心月狐拿來引誘自己的餌對心上人說，正遲疑間，孟芸芝已然開口。

「這些苦水，本不該對你倒的，真對不住。」

「沒有沒有，俺本來是想開解妳，沒想到卻惹起妳的心事。」唐天佑有些心虛，只想說些話掩飾自己的不安：「希望趕走心月狐之後，太子回復正常，芸詹事也能放心回家鄉了。」

「但願如此。」

正所謂「色字頭上一把刀」，不知計畫成功與否，下回分解。

第十回

鴻門宴美人行酒令灌迷湯
龍鳳鬥義士灑狗血奪魅珠

自從徐允恭答應治水，而且治出一番成績之後，女兒國眾百姓簡直把他當成龍王再世，凡他走過之處，男女老幼叩謝他的大恩大德不已，還有為他立生祠[1]燒香祭拜的。女兒國國王對他的才幹氣概，更是傾心不已，直說要留他在朝中任職，高昇拜相指日可待。

因此太子接到由徐允恭發出的請帖後，絲毫不敢怠慢，拖著已經康復七八分的病體，找來國舅商量一陣，立即派孟芸芝回帖，答應三天後赴宴。此外，唐天佑也不忘請陰鳳翾同來參與這別有目的的「慶功宴」，作為己方內應。鼇之僕趁機溜到宮外，找了一隻大黑狗，放了些許狗血裝好，給宓不疑隨身攜帶，以備不時之需。

慶功宴當天。

唐天佑揉了揉發酸的脖子，內心暗自估量頭上那堆花鈿珠釵究竟有幾斤重，而宓不疑看著身上的綾羅綢緞珠寶，臉色也好不到哪裡去。而鼇之僕完全不管他們的感想，嫁女兒似的淨往他們身上添首飾，看得那些鬍鬚宮女眼都花了，直說兩位貴人好福氣。

「鰲大人，『其他』東西你都準備好了嗎？」唐天佑若無其事的問道，問的當然是對付太子的道具，而不是首飾。

鰲之僕朝他眨了眨眼，道：「當然，這些可是我給你們的私房首飾，你們看我面子就統統戴起來，別丟我大人國三大富商之一的臉。」

唐天佑想不到最入戲的竟然是他，但穿上十幾斤重的珠寶禮服，施展美人計是不錯，打起來卻是礙手礙腳，隨便拿支簪子刺喉自殺倒方便，於是沒好氣道：「等這回在女兒國出夠鋒頭，拿了謝儀，回去包管你變成第一大富商。」

「你們不懂啊！唉，我現在的心情，就跟嫁女兒一樣緊張……」鰲之僕不敢在鬍鬚宮女面前透露太多，只得繼續朝唐天佑手腕上添鐲子，掩飾自己的心虛。

「鰲大人，敢問令嬡幾歲？」宓不疑忍不住問道。

「今年三歲。」鰲之僕說著又走向宓不疑，往他頭上插朵金花，「唉，說來我也有大半年沒回去看老婆孩子了啊！」兩人無言以對。

1 立生祠：對還活著的人建立祠堂祭奉，以表示內心的崇敬之情。

弄了大半天，兩人好不容易穿戴完畢，在一干翦鬟宮女的簇擁下，往牡丹樓大殿走去，途中遇上徐允恭，只見他一身藏青袍服，鬟眉鬢角修得整整齊齊，的確頗為英挺，難怪女兒國王既愛他的才，且愛他的貌。唐天佑都忍不住心想，若他三人分別嫁給國王、太子和二王子，不就能把持女兒國朝政及後宮，名副其實呼風喚雨了嗎？

想歸想，唐天佑自然不敢付諸實行，畢竟自己還不想關在宮裡吃軟飯為生，還得冒著被狐狸精吸乾精氣的危險，於是一手悄悄摸上胸口暗藏符咒之處，暗暗祈禱今天行動可以成功。

等徐允恭、唐天佑、宓不疑三人來到大殿，過了不久，坤國舅、太子陰鳳翔、二王子陰鳳翾亦按時到來，六人禮讓一陣，分東西兩側坐下。唐天佑為了讓宓不疑施展美人計，硬拉著他緊巴著太子不放，兩人雙星拱月似的挾著太子坐到東邊，徐允恭則與國舅、二王子在西邊坐下，兩邊倒也相映成趣。

這次邀宴，名義上是徐允恭邀請，酒菜歌舞其實都由女兒國這方準備，也算答謝徐允恭連日來的辛勞。舉凡這類吃喝玩樂的活動，定屬國舅的花樣最多，於是在她的安排之下，各色山珍海味如流水般上席，十來個清秀白皙、雌雄難辨的宮女輪流上

場表演歌舞，看得唐天佑目不暇給，自己的美人計尚未施展，便被國舅派來的美人迷得暈陶陶。宓不疑則是身在曹營心在漢，看著可望不可及的心上人陰鳳翾，滿腔心酸只得化為酒量，一杯一杯不住的喝，還得分神應付太子的魔爪。

太子和兩位美人並肩而坐，左擁右抱、如魚得水，幾分病容也被雙頰酒暈所掩蓋。徐允恭看在眼裡，一副樂見其成的模樣。國舅不明就裡，本以為徐允恭是藉宴席之名和她們談條件，看是要放了唐天佑或是宓不疑，現在看樣子，心想說不定他也想留在女兒國封官拜相了！

在場論年齡或輩分，國舅都是最長，心思一轉，率先舉杯祝賀道：「呵呵，本國舅與徐貴人也算不打不相識，且讓我敬你一杯，當作賠罪！」

國舅示好，徐允恭為了配合唐天佑他們，不得不跟著演戲，便也舉起酒杯道：「且敬國舅、太子和二王子一杯。」

「希望徐大哥治水成功，女兒國風調雨順、國泰民安！」唐天佑跟著起鬨，宓不疑只能跟他舉起酒杯，勉強喝了一口。

酒酣耳熱，即便眾人各懷鬼胎，表面看來卻融洽非常，你一句我一句，有如相

交多年的知己好友，太子這回倒沒有頭痛心痛，也沒有發瘋耍狠，唯獨時不時以魅惑的目光盯著宓不疑瞧，幸虧宓不疑這君子眼觀鼻鼻觀心，才沒被這狐狸精迷了去。等飯菜吃得差不多了，識相的坤國舅為了製造機會給太子和心上人多多親近，便提議移師至偏廳，一邊行酒令一邊聊天，總之今晚不醉不歸。

這提議正中唐天佑下懷，畢竟大廳多的是驕鬟宮女來來去去，潑血放狗也不方便，正想著要怎麼聯絡暗中埋伏的蠢之僕，陰鳳翾已然喚來典簿孟芳芝，低聲吩咐幾句，唐天佑朝孟芳芝一眨眼，便與眾人同至偏廳，六人圍坐一張八仙桌。

「快快快，你們快把宮裡最好的酒都拿來，讓幾位貴人嚐嚐我女兒國最出名的女兒紅！」坤國舅拍拍手，幾個驕鬟宮女立即告退，沒多久便捧上七八罈女兒紅，每人斟上滿滿一碗酒，廳內頓時酒香四溢。

「好香啊！」唐天佑忍不住讚道。

「那當然，宮裡的女兒紅，起碼都窖藏十幾二十年。」太子笑道，自飲了一口女兒紅。

坤國舅跟著陪笑，揮手讓眾宮女退下，然後從寬袖掏出一個卷軸打開，只見那卷

軸裝裱精美，上有方格標出「蓬萊」、「赤壁」、「蘭亭」等名勝古蹟，唐天佑好奇探頭觀看，坤國舅便神秘兮兮的笑道：「這是『攬勝圖』，唐貴人可在天朝見識過？」唐天佑貧家出身，哪裡有機會見識這些青樓酒館哄人喝酒的遊戲。徐允恭有意無意提醒道：「待會別喝得太多，在太子、國舅面前失態。」

唐天佑乾咳一聲應了，國舅笑嘻嘻不以為意，又拿出一個錦囊，一邊倒出幾枚不同顏色的棋子以及兩個骰子、幾支酒籌，一邊解說。原來這「攬勝圖」[2]是由各人擲選擇棋子，在名勝圖上擲骰前進，棋子分為「漁父」、「道士」、「劍俠」、「美人」、「和尚」、「詞客」六個，眾人出發前先飲洗塵酒，以先到終點為勝，其餘按

---

2 攬勝圖：清代骰子酒令的一種，玩法類似今天的「大富翁」，以一張標有各地名勝古蹟的圖為底，從「本位」開始，不同角色擲骰子前進，停留在不同的名勝，或無事，或要喝一杯酒，或會發生特殊事件。如至太湖，眾人無事。詞客至曲江應喝一杯（取唐朝進士及第宴在曲江舉辦的典故），其他人無事。走在羊腸徑中不得超越前者，也不得並行，否則就要回歸本位。遊戲以擲骰點數剛好到終點「觀止」為止。

酒譜行事，這「酒糾」[3]的工作，自是由國舅承擔。

眾人各自選代表自己的棋子，由於大家不敢跟太子爭先，便由太子執「漁父」先行，國舅選了「道士」，徐允恭選了「劍俠」，唐天佑是「美人」，宓不疑和陰鳳翾分別是「和尚」和「詞客」。

耍了幾回骰子，酒過三巡，每人至少都喝過一杯兩杯。映著昏黃燈光，但見唐天佑酒暈上臉，嬌羞滿面，不時故作無知逗大家開心，宓不疑則是滿懷心事，愁鎖蛾眉，可說各有各的美貌，讓太子一顆心都熱了起來，連擲骰子都忘了。

「王兄，輪到妳了。」陰鳳翾這「詞客」走到雨花臺，無事，便提醒太子這「漁父」該行動了。

「知道了。」太子瞟她一眼，右手拋著骰子要丟不丟，回頭說幾句渾話，逗得宓不疑笑也不是，不笑也不是，坤國舅對這段三角戀了然於心，於是故意不催促，陰鳳翾也只能裝作無動於衷。

「呵呵，不如讓俺替太子爺擲骰吧！」

為了替曖昧的兩人解圍，唐天佑只好把太子掌上的兩粒骰子抓來往桌上丟，丟

出四四共八點。

「漁父至桃源鄉，正應了陶淵明《桃花源記》的典故，該飲一杯！」國舅替太子把戴著斗笠的人形棋子往前移八格，到達「桃源」，接著端起酒甕，替太子面前的金杯斟上滿滿一杯。

「看你，害本太子又得喝一杯。」太子佯怒道，明眼人都聽得出是打情罵俏。

唐天佑心想我就是巴不得妳多喝幾杯，最好喝得人事不省，好方便下符咒，但嘴上當然不能這麼說，於是故作惶恐狀，說反話道：「唉呀，都是臣妾不好，忘記太子爺大病了一場，要不用臣妾這支免酒籌替了吧？」說著作勢去拿自己剛才擲骰子抽到的那支免酒籌。

「些許風寒，算得了什麼，天佑忒小看本太子了。」

在徐允恭等人眼前，太子當然不願示弱，於是雙手捧杯，仰頭一飲而盡，末了倒扣酒碗，表示一滴不剩。

3 酒糾：宴席中，負責監察眾人飲酒、行酒令的人。

「好啊好啊！」唐天佑故作天真無邪的拍手，自己都覺得噁心。拍了半天，看著太子手上的酒杯，突然想到一個辦法，便道：「殿下、國舅爺，俺聽說有一種葡萄酒，顏色像血一樣，味道比女兒紅更好，不知宮裡有沒有？」

「天朝詩人有云『葡萄美酒夜光杯』，貴人可真是識貨，這葡萄酒我們宮裡自是有的……」國舅輕拂秀髮，曖昧的笑了笑，太子立即喊道：「來人，把宮裡窖藏的葡萄酒拿上來！」

宓不疑不解的望向他，唐天佑在太子背後對他眨了眨眼，拇食二指一捏，做出個「倒」的手勢，宓不疑頓時領悟，緊咬下唇，一副為難的樣子。

葡萄酒未到，酒令還是得繼續玩下去。國舅和徐允恭丟過骰子，又輪到唐天佑這美人，於是他朝掌心吹了口氣，骰子滾了幾滾停下，加起來正好六六一十二點。

「美人至銅雀臺，銅雀深宮鎖二喬，唐貴人當飲一杯！」國舅似笑非笑道，先看看宓不疑，再看看唐天佑，彷彿他倆就是被曹操鎖在深宮賞玩的美人二喬姊妹，插翅難飛。

「喝就喝，誰怕誰？」唐天佑將頭梳靈蛇髻的美人棋往前移十二格，拿起酒杯

咕嚕咕嚕喝了大半杯，太子抓起酒甕，作勢還要往他杯中倒酒，口中道：「上回害本太子喝了一杯，這回還不好好罰你！」

「啊哈哈哈！太子爺好壞！不行，人家等著喝葡萄酒呢！」唐天佑一手掩杯，一手往酒甕推，不忘嬌嗔道。

兩人拉扯之間，孟芸芝已經帶領幾個髫鬟宮女，捧著幾罈葡萄酒進來，國舅笑吟吟看她開罈倒酒，宓不疑雙手攏袖，看看太子，再看看滿杯通紅的酒，似乎左右為難。

唐天佑弄不清現在的太子究竟是「陰鳳翔」或是「心月狐」，見她沒什麼發瘋的態勢，便想讓宓不疑刺激太子一下，順便在酒裡做手腳，便道：「不疑姊姊，你今晚還沒向太子爺敬酒呢！」

宓不疑渾身一震，臉色古怪，幸好太子被唐天佑灌了整晚迷魂湯，加上幾分酒意，也沒察覺其中玄機，還以為唐天佑如此懂事，拿藉口撮合他倆，便吻了他臉頰一下，權充獎賞。

「酒是催情媒啊！」國舅笑著加油添醋。

「咳嗯！」徐允恭清清喉嚨，陰鳳翾和孟芸芝皆是臉紅過耳，太子這才記得有

外人在場，悻悻然道：「唉呀，咱可是喝多了。」

「來來來，不疑姊姊別害羞了！換你了。」唐天佑忍住抹臉的衝動，朝他眨眨眼，把盛滿葡萄酒的金杯塞到宓不疑手上。宓不疑見唐天佑不惜犧牲色相掩護他，於是牙一咬，抖抖袖子，將一個小瓷瓶抖了出來，把裡面的黑狗血全部倒酒杯裡。

「什麼味道？」

太子皺起眉頭，唐天佑怕她和國舅起疑，不停眨眼示意，宓不疑勉強一笑，雙手捧杯直遞到太子的唇邊，柔聲道：「殿下，請喝酒。」

太子眼神變幻，突然傻住似的不說話，唐天佑怕她下一秒便開始發瘋，連忙托著宓不疑的手肘，硬把一杯摻了狗血的葡萄酒灌入太子口中，坤國舅不知內情，還在一旁拍手叫好。

但才「好」沒幾下，太子臉色一變，猛然抓住宓不疑的手，指甲深深掐進他手臂上，厲聲喝問：「你……你給我喝了什麼？」

宓不疑吃痛，不禁叫了出來，其他人想不到太子會突然變臉，唐天佑連忙裝作給太子拍背撫胸順氣，口中道：「不疑姊姊……你、你怎麼得罪太子殿下？」

「鄙人……鄙人不知為何惹得太子生氣……」宓不疑的不知所措可不是裝的。

唐天佑在太子胸前背後摸來摸去，可不是真心安撫她，而是想找尋魅珠所在，好不容易摸了半天，在她胸前衣襟摸到一個渾圓硬物，太子卻似觸電般，甩開唐天佑的手，以手掩口，咳了些許酒出來。

「咳咳！你給我喝了什麼東西！我……我的頭突然好痛……」

國舅不知這是太子陰鳳翔精神錯亂的先兆，還以為她酒醉不適，忙把牆角自鳴鐘望了一望，道：「時間也晚了，要不暫且到此為止，我送殿下回東宮歇息。」

好不容易造就的機會，唐天佑怎可能放過，無論如何都要把太子留下來再說，便託詞道：「要不先拿熱毛巾給太子擦臉醒酒吧？」

「讓我們來吧。」孟芸芝立即喚來孟芳芝，孟芳芝大概知道他們的計畫，雙眉微皺，點點頭便出去準備。

國舅不知如何是好，唐天佑正考慮要不要喊出暗號，讓鰲之僕進來接應，太子便又叫道：「咳……我……我沒事！」接著一把抓住宓不疑的手，幽幽道：「你……你為什麼要這樣對我，明明我對你這麼好，我等了你好久……」

這回換成宓不疑不知如何是好，正巧孟芳芝捧著一盤熱毛巾進來，唐天佑趁太子的注意力放在宓不疑身上，暗暗取出天雷符揑在掌心，走近床前，拿來一條熱毛巾把符咒裹住，道：「不疑姊姊，讓俺伺候太子吧。」

「你走開！你……原來你是跟他們串通好的！」

太子手指唐天佑，唐天佑把心一狠，也不管國舅前來阻止，便閉上眼睛，把毛巾往她額頭按去。

「啊——」

太子猶如被火燒般大叫，面目猙獰，伸手便要撥開唐天佑的毛巾，宓不疑知道厲害，忍著痛楚亦幫他把太子的手按下。

「太子爺您怎麼了？毛巾太熱了嗎？」

毛巾不住冒出絲絲白煙，看來像水蒸氣，卻有股燒焦的氣味，唐天佑雙手緊按暗藏符咒的毛巾，意欲逼出心月狐。國舅瞧出不對勁，走過來直想要看，卻被徐允恭藉故攔住。

「你們這是幹什麼！」

「走開、走開，拿走那東西！」太子不住揮手叫道。

「俺不過是在毛巾上噴了些花露水，怎麼太子爺這麼大的反應？」唐天佑睜著眼睛說瞎話，不忘轉頭對國舅道：「太子爺看來很不舒服，要不國舅去請太醫來看看？俺們在這裡看著她。」

「國舅！他們都是不安好心的反賊，把他們都抓起來！」太子失聲叫道，五官漸漸變形，雙眼愈來愈小，下巴愈來愈尖，雙頰慢慢長出細細的鬍鬚，變成一張狐狸臉。

國舅不知道為什麼一條熱毛巾就讓太子失控，正想細問，一見太子變形的狐狸臉，頓時嚇得魂不附體，吞吐道：「太子……太子殿下這……」

「傳太醫！快傳太醫！」唐天佑放聲大喊，原來「太醫」是他與鼇之僕約定好的暗號，暗號一出，偽裝成太醫的鼇之僕，便會帶著更多狗血與黑狗前來接應。

「唐天佑，虧吾如此待你，你居然暗算我！」太子——亦即心月狐，猛然掙開唐天佑和宓不疑的手，從床上站起來，只見其整副面目都變了，額頭上多了處焦黑傷口，手腳更是長出金毛，只差一條狐狸尾巴沒現形。

「心月狐妖……俺是南極仙翁的弟子。」唐天佑吞口口水，盡量擺出神仙架子

續道：「俺這是智取，不是暗算，你若曉得厲害，便趕快現身離去，回去找你師父認罪，別想再附身太子為非作歹。」

「鳳翔，別執迷不悟了！強迫得來的感情是沒有好結果的！」宓不疑還把她當作小時候的玩伴陰鳳翔，苦苦勸道。

「你不是我的王兄，你是附身的狐狸妖孽，王兄以前不是這樣的！」陰鳳翾叫道，雙目微微泛紅，宓不疑忙把她往身後拉，免得她與心月狐正面衝突。

「陰鳳翾！都是妳勾結外人，把他們帶回來對付我！」太子陰鳳翔語帶殺機，哪還有半分手足之情。

「來人啊！快來人啊！」看著這一幕不知什麼戲，國舅已經癱軟在角落榻上，有氣無力的叫道，也不知在叫誰。

「你們都騙我！你們都在騙我，你們都去死吧！」

心月狐狂性大發，十指指甲暴長，首先往陰鳳翾襲去，幸好其法力早被天雷符削去大半，且因大病初癒有所失準，陰鳳翾臉上仍被畫出一道泊泊血痕。

「莫急莫慌莫害怕，太醫來也！」

這下來的不是鬍鬚宮女，而是裝扮成太醫的鼇之僕。只見他腳踏祥雲，背上一竹簍，手上一酒罈，風也似的從門外飄入，見太子在那裡發瘋抓人，整罈狗血便往她身上灑，唐天佑順便把手上不知還管不管用的天雷符往她身上扔。

「嗚哇啊啊！」

這下狗血淋頭，伴隨一陣燒灼臭味，南極仙翁的天雷符炸成碎粉。太子被符和狗血耗了一陣，痛得倒地打滾，滿臉是血。徐允恭不敢大意，拔出靴內暗藏的匕首盯著太子瞧，免得她再次暴起傷人。

「徐大哥，妖狐的魅珠在胸口！」唐天佑朝徐允恭叫道，然後朝鼇之僕道：「鼇大人，快放狗！」

鼇之僕連忙取下竹簍放狗，奈何竹簍裡那隻黑狗已然奄奄一息，窩在裡頭動也不動，任鼇之僕怎麼拍也沒反應，看來比虎紋貓阿寅還沒用。

「嘖，怎麼就挑了這麼一隻狗！」

「沒辦法啊！牠剛剛被放了一大碗血，還在睡覺，就被我帶進來了。」

「大膽！」

只聞太子一聲嬌喝，唐天佑轉頭望去，徐允恭的匕首已然割開太子層層袍服，露出懸掛在胸口那鮮紅欲滴的魅珠。雖是非禮勿視，唐天佑只好閉起眼睛，伸手往太子胸口一抓，硬是扯下魅珠。

「還吾魅珠！」

一陣白煙從太子身上冒出，那心月狐終於現出牠金毛狐狸的真身，獨立窗邊，以狐身朝唐天佑說著人話。

「不拿你的魅珠，你還捨不得現身！」唐天佑手捏渾圓通紅的魅珠喊道。

「太子殿下！您沒事吧？」

孟芸芝三兩步走至太子身邊跪下，幾個翦鬟宮女和貨真價實的太醫也在門外探頭探腦，孟芳芝趕緊招呼他們進來伺候太子。

小小的偏廳裡擠了十幾二十個人，太子臉色蒼白躺在地上，看不出是生是死。宓不疑扶著陰鳳翾，徐允恭手裡還拿著匕首，鳌之僕抱著狗，那心月狐環看眾人，幽幽道：「可恨，只差不到一年，吾便能完全控制『她』的意志，屆時登基為王，派兵攻占諸國，威懾異域，指日可待。」

「大膽！你這畜生，占我王兄身軀為惡作亂，竟還出言不遜！」陰鳳翾叫道，面頰傷口仍流血不止。

心月狐看看陰鳳翾，再看看她身後的宓不疑，冷哼道：「若非那陰鳳翔仍心繫於你，吾豈會功虧一簣？」

「少廢話，你到底是走還是不走？不然俺就叫來禁衛軍，帶十幾隻獠牙惡犬把你分吃了！」唐天佑說道，鼇之僕在他身側連連點頭。

「唐天佑，你雖是南極仙翁那老頭派來的，但吾師亦是厲害角色，你最好快將魅珠歸還，我們好聚好散。」心月狐轉頭，語帶憤恨道。

「誰和你好聚好散？」唐天佑怎會輕易將唯一的籌碼還給這妖狐，「你先說，太子現在這樣該怎麼辦？」

「呵呵。」金毛狐狸露齒一笑，「身體被吾用了這麼多年，她本人的神智似乎愈來愈不清楚了呢！吾亦不知該怎麼辦。」

「太子殿下！您快醒醒啊！」坤國舅才突然清醒過來，從榻上爬到地下，不住搖晃太子冰涼的身軀，她下半生的榮華富貴全賭在太子身上，如此巨變，教她如何接

受？

「你這妖狐……」唐天佑為之氣結，不得已讓步道：「好，若我把魅珠還你，你能想辦法救救太子嗎？」

金毛狐狸狡獪一笑，「吾可以試試。」

「不要給牠，牠在騙你。」徐允恭道。

宓不疑和陰鳳翾對望一眼，前者道：「我們不能見死不救！」

唐天佑手持魅珠，猶豫不決之際，心月狐倏地飛躍而起，凌空叼走唐天佑手中的魅珠，矯捷的往窗口遁去。

「別走！」孟芸芝叫道，起身欲攔阻這罪魁禍首。

徐允恭的匕首隨即脫手而出，卻射了個空。眾人正以為心月狐要從窗口逃跑，想不到牠卻轉頭撲向孟芸芝，森森利齒往她脖子咬下，咬出兩個血窟窿。

「唐天佑，你壞吾好事，吾就讓你嚐嚐失去心上人的滋味！」

異變突起，但見孟芸芝頸上鮮血迸流，身軀緩緩軟倒，心月狐的金色身影稍縱即逝，只留下字字句句令人膽戰心驚的話。

「芸膽事！」唐天佑搶上前去，一手接住孟芸芝的身軀，一手按上她的傷口，不住呼喚她。

眾人皆是目瞪口呆，眼看陰鳳翾受傷，太子和孟芸芝生死未卜，心月狐僥倖逃脫，這場仗打得兩敗俱傷，根本沒有一個人是贏家。

「這可要怎麼收拾善後啊！」鼇之僕捏捏隱隱作痛的額頭，擱下竹簍，黑狗這才怯生生的走出來，四處嗅聞。

❀

事情鬧得轟轟烈烈，沒多久，女兒國宮裡宮外上上下下都知道了，只不過消息來源不一，有的說是妖狐作祟，有的說是天朝人聯合二王子犯上作亂，有的說是太子欲趁國王病重逼宮奪位，就是沒一個版本完全符合事實。

幸好當時國舅與二王子都在場，國王聞得宮中生變，叫來兩人交代事情過程，不聽還好，一聽妖狐附身太子，逃去無蹤，太子生死未卜，頓時氣急攻心，沒半晌昏暈過去，人事不知。

如今國王和太子都不省人事，國舅與王后不得已，只得代國王下令，讓二王子陰鳳翾監國，陰鳳翾以民生為重，先讓徐允恭出宮繼續治水，再留唐天佑、宓不疑、鳌之僕等人在宮中，一起商量大事。

宓不疑雖然能與心上人一起留在女兒國，但見太子渾身是傷，昏迷不醒，心裡也不好受，便央求唐天佑找南極仙翁想辦法救太子。奈何唐天佑自從被仙翁一拐杖推下懸崖，再也沒見過他，只希望仙翁得知自己解決心月狐後，能主動現身。

唐天佑雖然完成任務，卻一點都高興不起來。這十幾二十天，他每晚都睡得輾轉反覆，不是想著心月狐說的話，就是想著孟芸芝。是否自己魯莽害得她受傷？每每想到這裡，他就責怪自己，傷心得睡不著，才知道原來喜歡一個人的感覺就是這樣，難怪宓不疑喜歡陰鳳翾，不惜排除萬難，就是要和她在一起。

又過了一個月，徐允恭的治水工程即將完成，因為擔心唐天佑等人的處境，他將剩下的收尾工作交付給工匠，匆匆入宮。治水有成，女兒國民眾敬徐允恭如神仙，二王子陰鳳翾於是賞賜他許多金銀珠寶，命他安心在宮中住下，且聽封賞。

不知後事如何，請聽下回分曉。

緣盡將盡未了時

就在這一晚。

「小子，你心思雜亂，老朽欲入你夢也難啊！」

南極仙翁的龍頭杖一頓，睡夢中的唐天佑，頓時驚坐而起，發現自己身在一處繁花盛開的花園，南極仙翁則笑眯眯的在花叢中看著他。

「這裡是哪裡……仙翁啊！」唐天佑眨眨眼睛，半晌才看見南極仙翁，於是三兩步上前，抱住他的龍頭杖，哀求道：「仙翁，求求您救救芸詹事吧！啊！對了，順便也救救太子，看起來她是被心月狐控制，也挺可憐的……」

「你這回做得不錯啊，怎麼哭哭啼啼的？心月狐已經回去向牠師父認錯了，被罰去閉門思過，大概沒三五百年出不來。」仙翁讚道，一手把他托起來。

「芸詹事她……」唐天佑抽抽噎噎，哭了半天，突然抬頭道：「對了，說到這裡，仙翁您的天雷符怎麼這麼弱啊！貼了半天都制不住心月狐，只會『滋滋滋』的響，害俺們打得要死要活！要是早點解決牠，芸詹事她們也不會受傷了！」

「喔喔，這樣才打得刺激啊，不是嗎？」仙翁樂呵呵道，見唐天佑臉色難看，方才解釋道：「這天雷符得引天上雷電，才能發揮威力，所以在屋外的效果會比屋內

好得多，老朽一時忘記提醒你，幸好你懂得用狗血輔助，逼牠離體。」

「唉，如今說這個有什麼用！」唐天佑一嘆，隨便找個地方坐下，雙手托腮。

「小子，你不急著回家嗎？」南極仙翁慢慢走到他身邊，問道。

「事情還沒全部解決，俺怎麼放心回家！」唐天佑憂心忡忡，半晌支支吾吾道：「還有……還有芸詹事她生死未卜，我怎可丟下她一個人……」

「人生在世，本來就有許多煩惱，哪裡有全部解決的時候？總歸一死萬事休！」南極仙翁搖頭嘆道，唐天佑立即嚇得跳起來，驚道：「仙翁！您是說芸詹事會死？您……您是掌管人間壽限的神仙，一定有辦法救她的，對不對？」

「你別緊張。」南極仙翁連忙安撫他，「我的意思是各人有各人的造化，若是自尋煩惱想不開，即便生就一條好命，依然過得不快活。」

南極仙翁一臉惋惜，續道：「就拿女兒國的太子來說吧！生來一人之下、萬人之上，長在富貴深宮，本該無憂無慮，就是為情想不開，強求不屬於自己的東西，才會被心月狐趁虛而入，如今魂魄長期被附身的心月狐壓制，就算調養好了，說話行動也不比從前了，可惜好好一個花朵兒似的人兒，唉！」

「那芸詹事呢？她會醒過來吧？」唐天佑不死心問道。

「呵呵，小子我問你，這些花很漂亮吧？你認得出是什麼花嗎？」南極仙翁神秘一笑，不答反問。

唐天佑不知仙翁弄什麼玄虛，環顧四周，只見繁花盛開，爭奇鬥豔，令人目不暇給，便道：「有鳳仙花、桃花、李花、紫藤、玉蘭花、菊花、梅花，不同時節的花開在一塊，好些俺也認不出——仙翁為何突然問俺這個？」

「小子當然認不全，因為這裡是天庭的百花園啊！」說著，南極仙翁的龍頭杖輕敲他手，道：「手伸出來。」

唐天佑乖乖把雙手伸出攤平，像是等著私塾先生拿板子教訓的孩子。南極仙翁倒沒打他，從袖裡抖出一顆尖尖的莢實[1]，正好掉在唐天佑的掌心。

「這是什麼？」

「再美的花，依然有開有謝、有生有死，你那『心上人』命不該絕！這是天庭瑤池睡蓮結出的『並蒂雙心蓮子』，每一千年才結兩顆，吃進肚裡有病治病，沒病強身，一顆就在你手上，另一顆被百花仙不知移植到什麼地方去了……」

「俺就知道仙翁一定有辦法！」南極仙翁故弄一陣玄虛，唐天佑本還有些聽不懂，後來聽到「治病」就明白了，「給芸詹事吃這睡蓮子，她就會好起來了吧？」

「別歡喜得太早。」南極仙翁抿抿唇，接著解釋道：「這睡蓮子本來我是準備給你吃的，吃了你才能安然返回你原本的世界，如今只有一顆，你的『心上人』吃了，你想回去就難了。」

「為什麼？」唐天佑驚道。

南極仙翁嘆息搖頭：「小子，你可知道，這海外異國和你的故鄉是『不同世界』，你雖有仙緣，畢竟仍是凡胎，這般來回穿梭於異界，肉身魂魄難免有所損傷，若不先給你打好底子，等你回去落得個五癆七傷，或是像那太子一樣渾渾噩噩，到時豈不是生不如死？」

唐天佑想起陰鳳翔的模樣，不禁打個冷顫，「那一人吃一半可以嗎？」

「你說呢？」仙翁沒好氣反問，接著也不等他回答，續道：「時間不多，你得

1 茨實：睡蓮蓮蓬中的種子，名茨實，可食用，俗稱雞頭米。

好好考慮清楚，這睡蓮子摘下來後，只有半天功效，現在子時剛過不久，午時前，你就得決定到底是你自己吃，還是給你的心上人吃，遲恐不及！」

唐天佑呆呆盯著手中的蓮子，良久不語，半晌想抬頭再問，南極仙翁已不見蹤影，只餘花香陣陣，催他進入沉沉夢鄉……

❀

「天佑！天佑！天佑啊！」

鰲之僕的大嗓門震天價響，好不容易見唐天佑睜開眼睛，他才放下心道：「天佑啊！你嚇死我了，我以為連你也一睡不醒了！」

「呸呸呸！好端端怎會一睡不醒？」唐天佑啐道，想起剛才的夢境，看看手中的睡蓮子還在，方知真是南極仙翁來過。

「沒事就好、沒事就好！」鰲之僕拍拍胸口。

「鰲大人一早過來叫俺起床幹什麼？」唐天佑被仙翁一番話搞得心亂如麻，語氣自然好不到哪裡去。鰲之僕以為他是起床氣，連忙湊過去悄聲道：「別生氣啦！跟

你說個好消息——其實也不知算好消息還是壞消息——女兒國國王昨晚駕崩啦！據說從她氣到中風之後就沒有醒來，也沒交代遺言讓誰來當國王。」

「什麼？」唐天佑一手掀開被子跳下床，驚問。

「允恭說，國舅與王后似乎不願二王子登基——因為二王子不是王后生的，其他王子不是年幼就是無知——現在宮裡正亂成一鍋粥，我們外國人還是別介入女兒國內政為妙，反正天佑你的任務也已經完成，我們打算後天離開，你覺得怎樣？」鳌之僕三言兩語總結道。

唐天佑與女兒國國王雖只有一面之緣，但國王對他十分和藹，突然駕崩，讓他有些難以接受，何況是女兒國上下？遲疑半晌，唐天佑還是對鳌之僕吐實：「俺昨晚夢見仙翁了。」

「你的師父嗎？仙翁祂老人家交代了什麼？」

唐天佑嘆口氣，攤開掌心讓鳌之僕看個清楚，「仙翁就只給了我這玩意兒，說是有病治病，沒病強身。」

「這是偽裝成雞頭米的仙丹嗎？」鳌之僕左看右看，就是看不出這茨實有什麼

特別的地方，忽然靈光一閃，低聲道：「正好芸詹事昏迷不醒，天佑你把這仙丹給她吃了，豈不甚好？你可是天朝人，又是仙翁高徒，說不定孟家大人一高興就……嘿嘿！但千萬別讓國舅他們知道，奪了去啊！」

「唉，鼇大人，你不明白。」唐天佑垂下肩膀，接著把南極仙翁對他說的話大概說過一遍，鼇之僕聽了，亦皺起眉頭，道：「那該怎麼辦？這睡蓮子只有一顆，又不能掰來分吃，難道天佑你真打定主意不回家鄉了？」

唐天佑其實也是六神無主，雖說家有三位哥哥，父母不愁他奉養，自己本來也有四處遊歷之念，鼇之僕、徐允恭等人對他亦甚好，但說完全不想家就是騙人的。

鼇之僕明白他的心情，拍拍他的肩，勸解道：「如今離午時尚有三個時辰，不如趁允恭和宓先生都在，讓他們幫你出個主意？」

這幾天，唐天佑和宓不疑依然住在牡丹樓，後來鼇之僕和徐允恭也搬到這裡。兩人聯袂下樓後，便見徐允恭、宓不疑與陰鳳翾圍桌而坐，而樓外站崗的護衛明顯比從前多出許多，想來是為了確保這位儲君的安全之故。

既然陰鳳翾在場，唐天佑一時不好將仙翁交代的事說出來，免得陰鳳翾求他救

治太子，他不好拒絕，便同鼇之僕並肩坐下。

「徐公子，你當真不打算留在女兒國？為我國國民盡一分心力？」陰鳳翾沉聲問道。

徐允恭拱手謝道：「我意已決，二王子見諒。國喪期間，王子還得保重貴體，萬事以百姓為重。」

「人各有志，我也不再勉強。鳳翾再次代表女兒國百姓，拜謝徐公子治水的大恩大德。」陰鳳翾起身下拜，鼇之僕連忙趕來把陰鳳翾扶起，順便替徐允恭說話，「允恭的個性太直，實在不適合當官，女兒國給我們這許多金銀謝儀，我們已經十分感激了！」

「徐大哥，你有想過回去看看嗎？」唐天佑忽問道。

徐允恭沉默良久，方嘆道：「愚兄在中土無國無家，無親無故，流落海外十餘年，孑然一身，暫且不論回不回得去，就算回得去，愚兄也……」

徐允恭欲言又止，唐天佑想想也有道理，畢竟徐允恭以明朝遺臣自居，回去若得剃頭留辮，向大清稱臣，豈不是更難受？還不如跟著鼇之僕行走四方自在。

「允恭，你這話就不對了！從前我不敢誇口，如今咱們幾個也算是共患難同富貴的朋友了，你孑然一身，兄弟我就替你做媒，除了女兒國……咳，什麼樣的好女子沒有？」鼇之僕拍胸脯保證，說到一半發覺自己說錯話，連忙拉來唐天佑轉移大家的視線，「天佑，你也是，憑你一張如簧巧舌，在這裡怕沒飯吃嗎？只要大人國第三富商我傳授你幾招做生意的本領，包管你十年後就是個大掌櫃，說不定還有機會勝過我成為跨國第一富商呢！」

鼇之僕一番話說得眾人都笑了，陰鳳翾也不介意，難得打趣道：「允恭可不必愁，光是我女兒國，就有不少仰慕者，而且男女老少不缺！這媒人我可也有信心做得成。」

「那宓王子有何打算？」唐天佑轉頭問道。

「鄙人定與翾翾同甘共苦，若局勢不好，大不了逃回君子國暫避，要不至淑士國開飯館也好，至黑齒國設私塾也好，總之天無絕人之路，鼇大人、徐公子跟天佑就別擔心我們了。」宓不疑緊握陰鳳翾的手，陰鳳翾回望她的心上人，一切盡在不言中。

「只希望王兄能盡快康復，這樣不僅我能放下肩上重擔，父王泉下有知，也能安息了。」陰鳳翾說道。

若讓陰鳳翔坐上皇位，加上坤王后和坤國舅，這女兒國不知會給鬧成什麼樣子？還是陰鳳翾適合，而且宓不疑的個性溫和，兄弟又都是君子國的翩翩君子，大抵不會再出一個貪花好色的國舅，也不會再有像自己這樣的「美男子」被荼毒了。唐天佑暗忖，考慮半晌後，終於下定決心。

「二王子，我想見見芸詹事，可以嗎？」

唐天佑一腔心事，在座眾人都知道個大概，陰鳳翾便道：「芸芝正在太醫院，頸部的傷口有些反覆，除了太醫院裡的醫丞，我已經另請道士僧人過來作法誦經，看能否削弱心月狐的法力……」

雖是這麼說，但陰鳳翾也沒啥把握，宓不疑見狀便道：「你不熟路，鄙人帶你去太醫院看看吧！」

「那就有勞女兒國未來王后了！」唐天佑笑道，宓不疑白他一眼，便帶他出門往太醫院而去。

走近太醫院方圓十丈，便聞誦經作法咿咿喔喔，不知情者說不定還以為來到寺廟。宓不疑一路只顧朝唐天佑吐苦水，道：「鳳翾其實也不容易。若把太子救醒，只怕

她身體好了，精神不好，反而被國舅、王后利用為傀儡。若刻意不救醒太子，又對不住良心。私奔一走了之就更不像樣——其實這王位對我倆而言，宛如腐鼠之於鵷鶵[2]，天佑，你懂嗎？」

唐天佑自然聽不懂宓不疑的艱深典故，但大概明白他的意思，便胡亂點頭道：「俺明白，你和二王子都不是有野心的人，與其困死在王位上，還不如逍遙自在遊歷四方！」

「天佑果然熟知我心！」宓不疑接著嘆道，「朝中一班大臣都支持鳳翾登基，女兒國好不容易平了水患，實在禁不起折騰了啊！」

唐天佑這下更確定自己的決定是正確的，直走進太醫院，來到孟芸芝歇息的廂房外，深吸口氣，方道：「宓王子，俺想一個人進去。」

「好吧！那鄙人在外等你。」宓不疑點頭，不忘十分君子的交代，「記得『發乎於情，止乎於禮』啊！」

「知道啦！」唐天佑忙把門關上，順便把兩個髫鬟宮女支開，然後走到床頭，對著昏迷不醒的孟芸芝說話。

「芸詹事，都是我不好，是我害妳變成這樣的。」

他自責道，孟芸芝的面容蒼白，胸口微微起伏，頸上猙獰的傷口已用層層紗布包裹妥當，聽了他的話，依然熟睡不醒，一點反應都沒有。

「芸詹事……」唐天佑默默從懷裡拿出仙翁給他的並蒂睡蓮子，「不管……不管妳喜不喜歡我，我都希望妳好起來，同以前一樣和我說話，就算罵我也好。」

說著，托著孟芸芝的背，將她扶了起來，咬緊牙根，把睡蓮子塞進她淡無血色的雙唇中，然後倒了一杯水，灌她慢慢喝下。

「老天爺保佑！仙翁保佑！妳一定要沒事啊！」唐天佑心底默默祈禱，只希望

---

2 鵷鶵：音「ㄩㄢ ㄑㄧㄢ」，典出自〈惠子相梁〉，惠子當時為梁國相，莊子想過去梁國拜訪好友，有人就對惠子說莊子其實是想搶你丞相的位子，惠子很害怕，派人搜了三天三夜，最後是莊子主動出面說明，並以祥鳥「鵷鶵」與不祥之鳥「鴟鴞」（音「ㄔ ㄒㄧㄠ」）為例，說鴟鴞嘴裡叼著腐鼠，見鵷鶵經過，便以為鵷鶵想搶腐鼠來吃，殊不知這腐鼠（亦即丞相之位），鵷鶵根本不屑一顧。

孟芸芝平安無事，其他別無所求，就算得像徐允恭那般流落異鄉十幾年，也是自己的命吧……

唐天佑緊盯著孟芸芝的臉，額際微微冒汗。不知是不是他的誠意感動上天，過了半晌，只見孟芸芝羽睫搧了搧，勉力撐開眼瞼，眼神看來有些失焦。

「芸詹事，妳醒了！」

孟芸芝摸摸自己頸上的傷，眨眨眼，聲音還有些嘶啞道：「我……我怎麼了？這是哪裡？妖狐？妖狐呢？」

「妖狐逃跑了，不過已經被牠師父抓起來了！」唐天佑興奮道，一邊把水杯遞給心上人，一邊繪聲繪影描述當時他們如何對付妖狐，唯獨瞞去仙翁的話和睡蓮子的事，只因不想讓孟芸芝覺得他挾恩圖報。孟芸芝聽得恍惚，等唐天佑講得告一段落，她還是怔怔不作聲。

「那……太子呢？」

唐天佑一愣，心想孟芸芝果然是太子的左右臂膀兼「好姊妹」，事到如今還這麼惦記著她。但太子如今神智不清，被國舅和太后關在宗人府裡，自身難保，孟芸芝

重傷初癒，讓她知道不過徒增煩惱，於是便笑著轉移話題，道：「先別說太子了，芸詹事，妳的傷口還痛不痛？要不讓俺叫太醫來看看？」

孟芸芝沉默不語，頸上的傷口讓她不想多說話而牽動作痛。唐天佑搔搔頭，還以為她生氣了，正不知如何是好，忽見門外影影綽綽，似乎來了許多人，吵吵鬧鬧不知鬧些什麼。

「恭喜太子妃！賀喜太子妃！」

「太子妃，還請和奴婢上殿接受封賞！」

唐天佑眉頭一皺，知道事情並不單純，往窗外探頭一看，果然是一堆翳鬟宮女簇擁著宓不疑道喜，宓不疑一臉不知所措，若不是陰鳳翾身邊的芳典簿維持秩序，恐怕那些壯碩宮女就要抬起宓不疑走人。

「外……外頭都來了些什麼人？」孟芸芝掙扎著起身，唐天佑連忙過去扶她起床，支吾道：「是芳典簿……還有一堆翳鬟宮女。」

孟芸芝亦隨之皺起眉頭，輕輕道：「幫我叫芳芝進來好嗎？」

唐天佑點點頭，便轉身開門，呼喚道：「芳典簿、芳典簿！」

孟芳芝左顧右盼，半晌才看到是唐天佑叫她，於是三兩步上前道：「唐貴人有何吩咐？」

「芳典簿叫我天佑就好。」唐天佑搖搖手，孟芳芝似乎心情不錯，見狀笑道：「天佑，你也叫我芳芝就成。」

「那個……」唐天佑本想順便把「芸詹事」的稱呼換成親切一點的「芸芝」，但就是叫不出口，只得搔搔頭道：「芸……芸詹事她醒了。」

「四姊醒了！」

孟芳芝既驚且喜，便即進房看姊姊去了。唐天佑心想她們姊妹定有私己話說，索性從翳鬟宮女堆裡把宓不疑拉過來，打算問個究竟。

「大膽！怎可對太子妃無禮！」

「你以為你還是廢太子寵愛的貴人嗎？告訴你——」

幾個翳鬟宮女七嘴八舌，吵得宓不疑頭疼，難得聽他以不耐煩的口吻道：「好了好了，你們都先下去吧！等會我自會與芳典簿過去找二王子。」

「太子妃就要改口了，如今二王子才是『太子』，不久就要登基為王了呢！」

「就是，太子妃和太子青梅竹馬，哪是外人可以比的！」

「你說什麼？」唐天佑驚道，幾個鬍鬚宮女聞言，輪流瞟了唐天佑一眼，手掩錦帕吃吃而笑，接著你推我擠離開，留下唐天佑和宓不疑兩人面面相覷。

「二、二王子……她變成太子了？」唐天佑不可置信道。

宓不疑點點頭，嘆道：「昨晚聞得國王駕崩，一干朝臣連夜長跪宮門之外，說是太子失德，方才招致天譴水患，求王后速讓二王子即位，穩固人心。王后本想拖延，沒想到兵部與朝臣合作，派兵團團包圍國舅府，說國舅惑亂太子，其罪當誅，坤國舅被嚇得沒法，今早上表請罪，懇求王后保全她一條性命，讓她回鄉養老，王后剛剛終於下懿旨廢黜鳳翔，另立鳳翾為太子，擇日登基為王。鄙人我……我賢良淑德，仍封為太子妃。」說到後來，宓不疑一張臉已經紅透如熟蝦。

「這……那太子……廢太子陰鳳翔現在怎麼了？」唐天佑自然不是擔心陰鳳翔，而是擔心她若有個好歹，孟芸芝會受不了打擊。

「鳳翔仍昏迷不醒……唉，我聽宮女說，她被抬去宗人府『靜養』。若她醒來，我……我與鳳翾真不知該如何向她交代。」宓不疑也是心亂如麻，如今陰鳳翔名為

「靜養」，實則是「幽禁」，還有傳言說陰鳳翾是挾兵部和君子國暗助之勢奪得太子之位，流言傳得宓不疑百口莫辯，只能朝唐天佑吐苦水。

屋內，孟芳芝才問候姊姊幾句，便聽孟芸芝沉聲問道：「芳芝，妳告訴我，太子究竟怎麼了？」

「廢……那個……太子她……」孟芸芝語氣還有些虛弱，孟芳芝也是怕她承受不住，囁嚅半晌，依舊不敢吐露實情。

「太子被廢了？」孟芸芝逕道，見孟芳芝點點頭，便再咬牙問道：「可有性命之憂？」

孟芳芝忙連連搖頭，「四姊放心，二王子……如今的太子已經吩咐下了，不可怠慢廢太子的吃穿用度，且命兩個太醫日夜輪班守護……」

孟芸芝素知二王子陰鳳翾的為人，自不會懷疑她居心不良，陰鳳翔亦的確是受心月狐、國舅誘惑而失德，一切都是廢太子咎由自取，但自己與她主僕一場，見她如此下場，怎麼可能不難過？

「四姊跟隨廢太子這麼多年，不能善盡勸諫之責……」

孟芳芝聞言急道：「四姊，妳才稍微好起來，就別自責了。放心吧！此事原非妳的過錯，而且若非妳觀察入微，又怎會發現心月狐作祟之事？以前總是妳在廢太子面前護著鳳翾太子和我，現在總算輪到我們護著妳了。」

孟芳芝接著瞥瞥外頭，見唐天佑正和宓不疑說話，方壓低聲音道：「妹子見那天朝貴人挺關心妳的啊？妳被妖狐抓傷後，我就時常見他過來，還說要找他的仙翁師父求藥，比二姊八妹她們幾個還殷勤……」

孟芸芝聞言，目光頓轉黯然，帶些感嘆帶些無奈。孟芳芝身為當今太子近臣，將來封官拜爵指日可待，反觀自己身為廢太子僚屬，不被降罪已是萬幸。這一切都是唐天佑誤打誤撞攪亂一池春水，面對突如其來的變化，她真有些不知所措……

孟芳芝仔細打量孟芸芝的神情，就知道四姊跟這位天朝貴人並非完全沒戲，但就是缺那臨門一腳，眼珠子一轉，便道：「天佑他相貌堂堂，能言善道，且曾與太子、太子妃共患難，跟治水功臣徐貴人更是姊妹相稱。聽說王后欲掩飾廢太子與國舅先前所做的醜事，有意在太子大婚典禮上，封天佑為我國大使，組成使節團周遊列國，宣傳我女兒國國威，順便廣發請帖，邀請各國嘉賓至我國參加新王登基大典——四姊，

妳可得趕快好起來，否則讓其他人搶占使節團的肥缺，甚至把天佑也搶走了，就枉費四姊妳與他建立的患難之情了啊！」

孟芸芝一怔，孟芳芝一番苦心勸諫，當中用意她心中有數，但世事變幻無常，正如鏡花水月，不可強求，人與人之間的緣分亦然，當下她也只能靜觀其變了啊！

欲知天佑周遊列國將會發生什麼趣事，最終又能否抱得佳人歸，下集待續！

下集預告

「吉時已到，奏樂！」

鑼鼓喧天，鞭炮聲震天價響，女兒國今日端是熱鬧非凡，只因正逢太子陰鳳翾迎正妃入宮，一干百姓你推我擠、七嘴八舌，都是想覷個好位置，好看看太子妃的輦駕究竟如何豪華。

眼下水患既平，奸臣坤國舅被打發回鄉耕田，且儲君陰鳳翾素有賢名，女兒國的前程可說一片光明，國民都是歡歡喜喜。而君子國王——亦即宓不疑的王兄——得知王弟將與太子大婚，雖不明白陰鳳翾如何成了太子，總歸木已成舟，便不再反對，還派了百名親兵風塵僕僕趕來，說是充作未來王妃的儀仗隊，其實是怕女兒國政局再有變化，若有個萬一，這群親兵也好保護手無縛雞之力的王弟，把宓不疑感動得痛哭流涕，直說對不起王兄一番苦心。

由女兒國女兵組成的樂隊吹打而過，接著便是王妃車駕，其中治水功臣徐允恭身為男儐相，一馬當先為宓不疑的花轎開道，看來高大威武，一干女兒國民對他既敬且愛，頓時歡聲如雷，鼇之僕與君子國派來的長史親隨，亦在隊伍之列。反倒唐天佑等人卻和陰鳳翾在王城城樓上，等待車駕前來。

「真盛大的場面啊！可惜我終究沒這個福分……」說話的是曾被廢太子陰鳳翔選為孺子[1]的聶耳國六王子聶無雙。

聶耳國其人，形體面貌與常人無異，唯耳垂至腰，走路時須雙手捧耳而行，嫌麻煩的就乾脆綁成環結，亦或紮進頭巾腰帶裡省事。這聶無雙生就一雙盈盈杏眼，顧盼風流，且在鬍鬚宮女的毒手下，將他一對耳朵各穿幾十個耳洞，戴了無數金銀珠玉吊墜，叮叮噹噹，煞是惹眼，若給兩面國強盜看了，定要割下他的耳朵不可。

先前他被選入東宮，據說就是因為廢太子陰鳳翔貪他的耳環新奇。然而如今陰鳳翾與宓不疑這一對情比金堅，前者自是連忙遣散陰鳳翔選的那些美人，不過賞了他們豐厚路費，命他們各返其國，唯獨這聶無雙留了下來，說想湊湊熱鬧，典禮後再動身回國。

唐天佑與他曾是天涯淪落人，抬頭不見低頭見，也有幾分交情，聞言便拉拉他的耳環，笑道：「瞧你耳垂長這麼長，定是個有福氣的，還怕娶不著王子妃嗎？」

1 孺子：太子妃妾的等級，位在良娣之下。

聶耳國民人人耳大下垂，在唐天佑眼裡，自是個多福多壽之相。卻不知聶耳國恰恰相反，自古以來，從無壽享古稀之人，常人活到四五十，便已算是長壽，而且耳垂愈長，便愈是福薄，或許天生萬物，也有過猶不及之理。

「天佑你是天朝貴人，有所不知。」聶無雙嘆道，稍微和他解釋一輪，續道：「我今年一十有六，本想在女兒國享一二十年富貴，也不枉此生。不料陰差陽錯，又得從頭來過，一生姻緣可不知要蹉跎到何時啊！」

「你說你自己沒福，我看你卻是長壽之相，這不就是各人有各人的緣法嗎？」唐天佑故作高深道，逗得聶無雙也笑了，隨即杏眼微瞇，在他耳邊悄聲道：「我且聽聞那『智佳國』長公主，近月亦要招親選婿。那智佳國民只因彼此爭強賭勝，久而久之耗盡心血，最是短壽，不出三十，鬢已如霜，與我倒是般配。待此地事畢，我便去試試身手，希望能同公主成就一段佳話！」

「怎麼這裡的公主王子，都這麼喜歡選婿選妃啊？」唐天佑心想，見聶無雙一副勢在必得的模樣，忍不住潑冷水道：「屆時聶兄弟可記得把耳環通通摘乾淨了，免得比那白髮公主還美呢！」

聶無雙嘻嘻一笑，反朝他拱手道：「據聞天佑將被封作巡迴大使，好歹你我在女兒國『姊妹』一場，可要請你帶契則個啊！」

一聽「大使」之名，唐天佑頓時坐立難安，眼光不禁瞄向侍立陰鳳翾身後的孟芸芝姊妹幾人。雖說他已知悉陰鳳翾的安排，徐允恭、鼇之僕也答應陪著他，但自己究竟有無本領擔當如此重任？若能說服大病初癒的孟芸芝同行，豈不是近水樓臺先得月？說是這麼說，就不知孟芸芝是否願意……

原著經典簡介

怪誕諷刺旅遊團——《鏡花緣》的海外異國之旅

《鏡花緣》是一部長篇章回小說，由清代李汝珍創作，全書一百回，最引人奇想的部分，便是寫文士唐敖與其妻舅林之洋、舵手多九公出海經商，飽覽奇聞奇景的海外異國之旅。唐敖一行共遊歷「君子國」、「犬封國」、「兩面國」、「大人國」、「長人國」、「淑士國」、「白民國」、「黑齒國」、「聶耳國」、「不死國」、「穿胸國」、「結腸國」、「豕喙國」、「伯慮國」、「勞民國」、「軒轅國」、「女兒國」等地，見識許多奇風異俗，如女兒國「男子反穿衣裙，作為婦人，以治內事，女子反穿靴帽，作為男人，以治外事」。沿途也碰見諸多奇異生物，如：猩然、飛涎、狻猊、麟鳳、鮫人、蠶女、當康等等，更陸續服食躡空草等仙家奇寶。這趟旅程，唐敖不僅搭救流落海外的「十二名花」，也堅定其出世離塵之念，最後入小蓬萊成仙。

《鏡花緣》中光怪陸離的奇人異物，大部分出自《山海經》，亦有出於《淮南子》、東方朔《神異經》、葛洪《抱朴子》、張華《博物志》和馬端臨《文獻通考》等書，李汝珍加以改編，妙筆生花，寫來生動有趣，既諷刺時事，也呈現作者某程度的烏托邦理想。

萌經典 006

鏡花公子，嫁到！

作　　者：無患子
總 編 輯：李進文
責任編輯：陳惠珍
封面繪圖：柘榴
視覺構成：管育伶
內頁設計：李裕全
行銷企畫：王珉嵐
專案行銷：華幼青
印　　務：蕭秀屏

出版發行：未來書城股份有限公司
創 辦 人：温世仁
負 責 人：温世禮
總 經 理：劉湘民
台北市10569南京東路五段343號7樓
客服專線：(02)2760-9996
傳　　真：(02)2760-6367
服務信箱：ebookcity@tomor.com
網　　址：http://www.ebookcity.com.tw

總 經 銷：聯合發行股份有限公司
新北市23145新店區寶橋路235巷6弄6號4F
客服專線：(02)2917-8022
傳　　真：(02)2915-6275
網　　址：http://www.nh.com.tw

印　　刷：樺禾豐文化事業有限公司
初版一刷：2011 年 9 月
定　　價：新台幣 220 元
ISBN：978-986-7797-56-8

國家圖書館出版品預行編目(CIP)資料

鏡花公子,嫁到! / 無患子著. -- 初版. -- 臺北市：未來書城, 2011.09
面；　公分. -- (萌經典；6)
ISBN 978-986-7797-56-8(平裝)

857.7　　100017350

萌經典

感謝您購買本書，為了提升出版品質，提供您更優質的閱讀樂趣，請您撥冗填寫問卷寄回給我們（免貼郵票），我們將不定時提供新書資訊與優惠禮遇，謝謝您！

姓名：＿＿＿＿＿＿＿＿ 性別：＿＿＿ 年齡：＿＿＿

EMAIL：＿＿＿＿＿＿＿＿＿＿＿＿＿＿＿＿

電話：＿＿＿＿＿＿＿＿＿＿ 手機：＿＿＿＿＿＿＿＿＿＿

地址：□□□□□＿＿＿＿＿＿＿＿＿＿＿＿＿＿＿＿

●您從何處知道此書？

□書店 □書訊 □書評 □報紙 □廣播 □電視 □網路

□廣告DM □親友介紹 □其他＿＿＿＿＿

●您以何種方式購買本書？

□誠品書店 □誠品網路書店 □金石堂書店 □金石堂網路書店 □博客來網路書店

□其他＿＿＿＿＿＿

●您對本書的評價：（請填代號：1非常滿意 2滿意 3尚可 4待改進）

書名＿＿ 封面設計＿＿ 版面編排＿＿ 印刷裝幀＿＿ 內容＿＿ 整體評價＿＿

●您對本書的建議：

1 0 5 6 9 台北市南京東路5段343號7樓

未來書城股份有限公司 收

廣告回函
台灣北區郵政管理局登記證
北台字第14267號
免貼郵票

請沿虛線對折黏貼

請沿虛線剪下寄回

未來書城

書名：鏡花公子，嫁到！

書號：萌經典系列006